Jillybobs

C000063175

Saw this and thought of you
some classic Aussie songs
for your Oz Adventure.
Be sure to check out
     Khe Sanh

With Love

Fay xxx

THE LITTLE BLACK AUSSIE SONGBOOK

Complete lyrics and chords to 200 Australian songs

Publishing Manager Melissa Whitelaw
Cover design by Glen Hannah - Goonga Designs
Book design and arrangements by Sean Peter - www.autopilotproductions.com
Printed in China by C & C Offset Printing Co., Ltd.

Special thanks to:
Tony Quinn, Gary Seeger and Sonia Le – Festival Music Publishing
Ian James and Sarah Stewart - Mushroom Music Publishing
Fifa Riccobono and Sam Horsburgh – J. Albert & Son Pty. Limited
Peter Karpin, Diana Torossian and Elise Lindsay – BMG Music Publishing
Damien Trotter and Margo Webster – Sony Music Publishing
Bob Aird ,Yvonne Koolis, Sue Boylan and Heath Johns – Universal Music Publishing
Mark Callaghan – Shock Music Publishing
Keith Welsh – Rough Cut Music
Francis Coady – Coady Group
Jo Hickey – Modular Records
David Weisz and Bill Cullen – One Louder Management
Edo Kahn – Gelbison
Jack Strom – Marjac Productions
Mark Holden – Dream Dealers
Kylie Greenlees – The Groove Merchants
Phil Stevens – Jarrah Records
Jen Wilson – The Music Network
Brendan Callinan, Tegan Callinan, Wayne Hackett
Jeremy White, Lesley Tipping, Tom and Mary Peter

Exclusive Distributors for Australia and New Zealand into the Music Trade:
Music Sales Pty. Limited
120 Rothschild Avenue
ROSEBERY NSW 2018
AUSTRALIA

Exclusive Distributors for Australia and New Zealand into the Book Trade:
Macmillan Distribution
56 Parkwest Drive
DERRIMUT VIC 3030
AUSTRALIA

WISE PUBLICATIONS
Part of The Music Sales Group
London/New York/Sydney/Paris/Copenhagen/Madrid/Berlin/Tokyo

Contents

Contents

Contents

All The Rage

Words & Music Edo Kahn
(c) Copyright Control. International Copyright Secured. All
Rights Reserved. Used by Permission.

Intro   C   F   C   F   C   F   C   F

Vs 1   C   F
       I Miss you in my life,
       C   F   C   F
       I think you're still alive but I can't be sure if you recall my name

       C   F

       C   F
       I think about you so much
       C   F
       I think about your touch
       C   F
       Do you even care
       C   F
       Do you even care

Chorus **Bb**   **Fmaj7**
       Everything that you are is worth leaving
       Bb   **Fmaj7**
       Everything that you are is worth keeping
       Bb   **Fmaj7**   **G**
       Everything that you are is worth leaving too

       C   F
       When we were young and all the rage
       C   F
       When we were young and all the rage
       C   F
       When we were young and all the rage
       C   F
       When we were young and all the rage

       C   F   C   F   C   F   C   F

Vs 2   C   F
       I stole the devil's words
       C   F
       And turned them into gold
       C   F
       I stole the hurt you gave
       C   F
       And turned you into a ghost
       C   F
       I think about you so much (miss you in my life)
       C   F
       I think about your touch (miss you in my life)
       C   F
       Do you even care (miss you in my life)
       C   F
       Do you even care

Chorus **Bb**   **Fmaj7**
       Everything that you are is worth leaving
       Bb   **Fmaj7**
       Everything that you are is worth keeping
       Bb   **Fmaj7**   G
       Everything that you are is worth leaving too
       C   F
       When we were young and all the rage x 14
       C

Almost With You

Words & Music Stephen Kilbey
© Copyright Sony/ATV Music Publishing. International
Copyright Secured. All Rights Reserved. Used by
Permission

Intro   C   G/B   Am7   G/B   C   G/B   Am7   G/B   C   G/B   Am7   G

```
Vs 1   G       D/F#        Em7    D
       See the chains which bind the men
       C       Em7         D     Am        G
       Can you taste their lonely arrogance, uh oh oh
               D            Em7    D
       It's always too late and your face is so cold
       C       Em7    C   D
       They struggled for this opulence
Vs 2   G       D/F#        Em7    D
       See the suns which blind the men
       C       Em7    D     Am        G
       Burnt away so long before our time, uh oh oh
               D            Em7       D
       Now their warmth is forgotten and gone
       C       Em7    C    D
       Pretty maids not far behind
       F                             Em
       Who you tryin' to get in touch with, who you tryin' to get in touch with
       D
       Who you tryin' to get in touch with
Chorus C          G/B  Am7         G/B
       I'm almost with you,  I can sense it wait for me
       C          G/B  Am7              G/B
       I'm almost with you,  is this the taste of victory
       C          G/B  Am7  G
       I'm almost with you

Vs 3   G       D/F#    Em7     D
       See the dust which fills your sleep
       C       Em7         D       Am        G
       Does it always feel this chill near the end, uh oh oh
               D            Em7         D
       I never dreamed we'd meet here once more
       C       Em7    C    D
       This life reserved for a friend
       F                             Em
       Who you tryin' to get in touch with, who you tryin' to get in touch with
       D
       Who you tryin' to get in touch with

Chorus C          G/B  Am7         G/B
       I'm almost with you,  I can sense it wait for me
       C          G/B  Am7              G/B
       I'm almost with you,  is this the taste of victory
       C          G/B  Am7
       I'm almost with you

Solo   G  C Bm7  Am  F  G  Bm7  Em  F  C  G
       G  C Bm7  Am  F  G  Bm7  Em  F  C  G  D

Chorus C          G    Am7         G
       I'm almost with you,  I can sense it wait for me
       C          G    Am7              G
       I'm almost with you,  is this the taste of victory
       C          G    Am7         G
       I'm almost with you,  I can sense it wait for me
       C          G    Am7              G
       I'm almost with you,  is this the taste of victory
       C          G    Am7  G  C      G    Am7  G
       I'm almost with you,        I'm almost with you
       (repeat last line x 2) then end on G
```

Alone With You

Words & Music Jeremy Oxley
© Copyright Mushroom Music. International Copyright
Secured. All Rights Reserved. Used by Permission

Intro   Am   C   Am   C   Am   C   D

Vs 1   Am   C   D   G   Am   C   D   E
We can lock away the bad memories together,
Am   C   D   G   Am   C   D   E
Close the doors to the past forever.
F   G
Watching you touch,
F   G
We're past this much.

Chorus   Am   C   D   E   Am   C   D   E
I'm alone with you tonight   I'm alone with you tonight
        Am   C   D   E
I'm alone with you tonight

Vs 2   Am   C   D   G   Am   C   D   E
I can't always remember what I say,
Am   C   D   G   Am   C   D   E
I can't always take it having to pay
F   G
Watching you walk,
F   G
You know you're really attractive.

Chorus   Am   C   D   E   Am   C   D   E
I'm alone with you tonight   I'm alone with you tonight
        Am   C   D   E
I'm alone with you tonight

Solo   Dm   E   Dm   E   F#m   D   Ab   C#m   A   Dm   E

Vs 3   Am   C   D   G   Am   C   D   G
I know it's hard when you have tried,
          Am   C   D   G   Am   C   D   G
When the conversations terror, you have tied.
F   G
Making out you still don't know,
F   G
All I have is alcohol so let me go,

Chorus   Am   C   D   E   Am   C   D   E
I'm alone with you tonight   I'm alone with you tonight
        Am   C   D   E
I'm alone with you tonight

Solo   Dm   E   Dm   E

Chorus   Am   C   D   E   Am   C   D   E
I'm alone with you   I'm alone with you
        Am   C   D   E
I'm alone with you
        A   C   D   E
I'm alone with you tonight
        A   C   D   E
I'm alone with you tonight
        A   C   D   E
I'm alone with you tonight

       Ad lib Gtr Solo over Chorus

Ending   Am   C   D   Dm   Am

Always Mine

```
Intro    B  F#  D  A  B  F#  D  A
         B  F#  D  A  B  F#  D  A
         B  F#  D  A
```

```
Vs 1     E              D                A  B  A  B
         You think that it comes just in dreams
         E              D              A  B  A  B
         So that I'll never understand
         F#        B        F#       B        F#          B          E
         Just keep turning away to another new day that you're hoping to see
```

```
         B  F#  D  A  B  F#  D  A
```

```
         E              D                A  B  A  B
         It's better to write what you can't say
         E              D              A  B  A  B
         When all you have is one more day
         F#        B        F#       B        F#        B        E
         Just keep turning away to another new day and it's helping to know
         E7
         Always mine
```

```
Chorus B  F#        D        A           B
         I'm missing the day that's keeping me down
         F#       D    A        B
         Trying to find a day with a sound
         F#       D    A        B   F#  D  A
         Trying to find a day with a sound
```

```
         B  F#  D  A  B  F#  D  A
         B  F#  D  A  B
```

```
         F#        B        F#       B        F#        B        E
         Just keep turning away to another new day and it's helping to know
         F#        B        F#       B        F#          B          E
         Just keep turning away to another new day that you're hoping to see
         E7
         Always mine
```

```
Chorus B  F#        D        A           B
         I'm missing the day that's keeping me down
         F#       D    A        B
         Trying to find a day with a sound
         F#       D    A        B   F#  D
         Trying to find a day with a sound
         A
         Day with a sound
```

```
         B  F#  D  A  B  F#  D  A
                              A day with a sound x2
```

```
         B
```

Am I Ever Gonna See Your Face Again?

Words & Music J. Brewster, R. Brewster & B. Neeson
© Copyright 1976 J. Albert & Son Pty. Limited. International Copyright Secured. All Rights Reserved. Used by Permission.

Vs 1   E
Went down to Santa Fe, where Renoir paints the walls,

Described you clearly, but the sky began to fall
     A   E
Am I ever gonna see your face again?
     A   E
Am I ever gonna see your face again?

Vs 2   E
Trams cars and taxis, like a wax-works on the move

Carry young girls past me, but none of them are you
     A   E
Am I ever gonna see your face again?
     A   E
Am I ever gonna see your face again?

Chorus B   A   E
Without you near me I got no place to go
B   A
Wait at the bar, maybe you might show
     A   E
Am I ever gonna see your face again?
     A   E
Am I ever gonna see your face again?

Vs3   E
I got to stop these tears that's falling from my eye

go walk out in the rain, so no one sees me cry
     A   E
Am I ever gonna see your face again?
     A   E
Am I ever gonna see your face again?

Chorus B   A   E
Can't stop the memory that goes climbing through my brain
B   A
I get no answer so the question still remains
     A   E
Am I ever gonna see your face again?
     A   E
Am I ever gonna see your face again?
     A   E
Am I ever gonna see your face again?

Amazing

Words & Music Alex Lloyd
© Copyright Rondor Music Publishing. International Copyright
Secured. All Rights Reserved. Used by Permission

Intro   A Dsus4 D A Dsus4 D

```
Vs 1   A                      D
       When all your want to do is rock
       A                      D
       But you don't want to bear the shock no more
       A                      D
       When it's just swell that fills your eyes
       A                 D
       Belated feelings that you have denied

       A                     A/G#                   A7/G
       When every wolf is at your door, Just like a hundred times before
                                     F#7
       But you don't want to 0leave the end
```

```
Chorus A         E      F#m       D     A
       You were amazing, we did amazing things
                 E       F#m          D          A   Dsus4  D
       And I wouldn't change it, Cause we were amazing things
```

```
Vs 2   A                     D
       Rebuilding bridges in your mind
       A                     D
       Your eagerness now is on the line
       A                     D
       The plastic mountain at your feet
       A                     D
       Divided streets now as you look to find a seat

       A                     A/G#                   A7/G
       When every wolf is at your door, Just like a hundred times before
                                     F#7
       But you don't want to see the end
```

```
Chorus A      E       F#m         D     A
       You were amazing, And we did amazing things
                 E       F#m          D          A   Dsus4  D
       And I wouldn't change it, Cause we were amazing things
```

```
Bridge    Bm                        E
       And I really didn't want that push today
          Bm                      E
       No I really didn't want to end this way
          Bm
       But the things that seem to bind us
            D                         E
       Are the things we put behind us on this day
```

```
Chorus A            E      F#m        D     A
       'Cause you were amazing, And we did amazing things
                 E       F#m          D
       And I wouldn't change it, Cause we were amazing things
       A            E   F#m                         D
       When every wolf is at your door, You'll catch him up in time for sure,
       A            E   F#m                         D
       When every wolf is at your door, You'll catch him up in time for sure,
       D       A
       For sure
```

Angel

Words & Music Luke Hanigan
© Copyright Sony/ATV Music Publishing. International Copyright Secured. All Rights Reserved. Used by Permission.

Intro   D/G   D   A   Bm
        Na na na na na na na na na na na, Na na na na na na na na na na na
        D/G   D   A
        Na na na na na na na na na, Na

Vs 1   D   A   Bm   F#m
        So there's an angel at your shoulder, and she is watching over you
            D   A   Bm   F#m
        She is fragile and small, and she is rarely in the new
              D Em A   Bm   G
        It's such a perfect view she sees everything you do
              D Em A   Bm   G
        So it's no surprise she knows when I am in the room
          Em7   A   G   D
        So if I see that angel, I will break her f**king neck

Chorus G   D   A   Bm   A   G
        Angel, I know you are a friend but all good things come to an end
          D   A
        so I think maybe you'll agree

Vs 2   D   A   Bm   F#m
        Wings are such an asset, to an angel on the run
            D   A   Bm   F#m
        An essential part to play and the role of the guardian
              D Em A   Bm   G
        But everybody   knows it ain't no secret what happens
              D Em A   Bm   G
        When an angel   flies a little too close to the sun
          Em7   A   G   D
        So if you see that angel you can tell her this for me...

Chorus G   D   A   Bm   A   G
        Angel, I know you are a friend but all good things come to an end
          D   A
        so I think maybe you'll agree

Bridge   Bm   D   A   D
        The angel gets what the angel wants, the angel gets what the angel wants,
        G   A   Bm   D
        The angel gets what the angel wants, the angel gets what the angel wants,
        A   D   G
        The angel gets what the angel wants, the angel gets what the angel wants,
        G
        The angel gets what the angel...

Chorus G   D   A   Bm   A   G
        Angel, I know you are a friend but all good things come to an end
              D   A   Bm   A   G
        So you can leave in peace for me or you will leave here on your knees
        G   D   A   Bm   A   G
        Angel, I know you are a friend but all good things come to an end
              D   A   Em
        So you can leave in peace for me

Outro   G D A Bm A G D A Bm A
        (repeat and fade)

Are You Gonna Be My Girl

Words & Music N. Cester & C. Muncey
© Copyright Universal Music Publishing. International
Copyright Secured. All Rights Reserved. Used by
Permission.

Vs 1   **N.C.**
I said 1 2 3, take my hand and come with me
                                  A
'Cos you look so fine and I really wanna make ya mine
      N.C.   **A**
I said ya look so fine and I really wanna make ya mine
      N.C.
I said 4 5 6, cmon and get your kicks
                                     A
now ya dont need money when ya look like that do ya honey?
D   **C** **G** **D**   **C** **G**
Big black boots,   Long brown hair,
D   **C** **G** **D**   **C** **G**
She's so sweet with her,   get back stare

Chorus **A**   **C**
Well I could see, you home with me,
D   **A**
But you were with another man yeah
A   **C**
I know we aint got much to say
D   **A** **E** **G**
Before I let you get away
                      A
I said are you gonna be my girl?

Vs 2   **N.C.**
Well I said 1 2 3, take my hand and come with me
                                  A
'Cos you look so fine and I really wanna make ya mine
      N.C.   **A**
I said ya look so fine and I really wanna make ya mine
      N.C.
I said 4 5 6, cmon and get your kicks
                                   A
now ya dont need money when ya look like that do ya honey?
D   **C** **G** **D**   **C** **G**
Big black boots,   Long brown hair,
D   **C** **G** **D**   **C** **G**
She's so sweet with her,   get back stare

Chorus **A**   **C**
Well I could see, you home with me,
D   **A**
But you were with another man yeah
A   **C**
I know we aint got much to say
D   **A** **E** **G**
Before I let you get away
                      A
I said are you gonna be my girl?

Solo **A** **A** **C** **D** **A** **A** **C** **D** **A**
      A   **C**
Well I could see, you home with me,
D   **A**
But you were with another man yeah
A   **C**
I know we aint got much to say
D   **A**
Before I let you get away
A   **C**
Be My Girl, be my girl,
D   **A** **G** **D**
Are you gonna be my girl? Yeah

April Sun
In Cuba

Words & Music Paul Hewson & Marc Hunter
© Copyright 1977 Essex Music of Australia Pty. Limited/EMI Songs Australia
Pty. Ltd. Administered by EMI Music Publishing Australia Pty. Limited (ABN
83 000 040 951) P.O. Box 35, Pyrmont, NSW 2009. International Copyright
Secured. All Rights Reserved. Used by Permission.

Vs 1   Asus4   A
I'm tired of the city life,
Asus4   A
Summer's on the run,
Asus4   A
People tell me I should stay
Asus4   A
But I got to get my fun
Asus4   A
So don't try to hold me back
Asus4   A
There's nothing you can say
Asus4   A
Snake eyes on the pair of dice
      D   C#m   Bm A G
And we got to go today.

Chorus Gmaj7   D   Gmaj7   D
Take me to the April Sun in Cuba, oh, oh, oh,
Gmaj7   D   Gmaj7
Take me where the April sun gonna treat me
   D   Asus 4 A   Asus4 A
So right, so right,   so right.

Vs 2   Asus4   A
I can almost smell the perfumed nights
Asus4   A
And see the starry sky
Asus4   A
I wish you comin' with me baby
Asus4   A
'Cause right before my eye
Asus4   A
See Castro in the alley way
Asus4   A
Talkin' 'bout missile love
Asus4 A
Talkin' 'bout J.F.K.
      D   C#m   Bm A G
And the way he shook him up.

Chorus Gmaj7   D   Gmaj7   D
Take me to the April Sun in Cuba, oh, oh, oh,
Gmaj7   D   Gmaj7
Take me where the April sun gonna treat me
   D   Asus 4 A   Asus4 A
So right, so right,   so right.

Vs 3   **Asus4**   **A**
        I'm tired of the city life
        Asus4   **A**
        Summer's on the run
        Asus4   **A**
        Birds in the winter sky
        Asus4   **A**
        Are headin' for the sun
        Asus4   **A**
        Oh, we can stick it out
        Asus4   **A**
        In this cold and grey
        Asus4   **A**
        Snake eyes on the pair of dice
              D   **C#m**   **Bm**   **A**   **G**
        And we got to go today, yeah.

Chorus **Gmaj7**   **D**   **Gmaj7**   **D**
        Take me to the April Sun in Cuba, oh, oh, oh,
        Gmaj7   **D**   **Gmaj7**
        Take me where the April sun gonna treat me
         D   **Asus 4** **A**   **Asus4** **A**
        So right, so right,   so right.
        Asus 4   **A**
        Take me to the April sun,
        Asus 4   **A**
        C'mon take me, take me to the April sun,
        Asus 4   **A**
        C'mon, c'mon take me, take me to the April sun

Back In Black

Words & Music Angus Young, Malcolm Young & Brian Johnson
© Copyright 1980 by J. Albert & Son Pty. Limited. International
Copyright Secured. All Rights Reserved. Used by Permission.

Intro   E   D   A   E   D   A

Vs 1   E   D   A
       Back in black , hit the sack, I been too long I'm glad to be back
          E   D   A
       Yes I'm, let loose from the noose that's kept me hanging about
          E   D
       I keep looking at the sky 'cause it's gettin' me high,
       A
       Forget the hearse cause I'll never die
         E   D   A
       I got nine lives, cat's eyes, abusing every one of them and runnin' wild

Chorus   A   E   B   A   B   A   E   B   A
       Cause I'm back,   yes I'm back
         B   G   D   A   G   A   G   D   A   G
       Well I'm back,   yes I'm back
         A   E   B   A   B   A   E   B   A
       Well I'm back,   back
        B   G
       Well I'm back in black,
         D
       Yes I'm back in black

       E   D
       Back in the back of a Cadillac
       A
       Number one with a bullet I'm a power pack
       E   D   A
       Yes I'm in a band, with a gang, they gotta catch me if they want me to hang
       E   D
       Cause I'm back on the track and I'm feeling the flack
       A
       Nobody's gonna get me on another rack
        E   D
       So look at me now I'm just makin' my way
       A
       Don't try to push your luck just get out of my way

Chorus   A   E   B   A   B   A   E   B   A
       Cause I'm back,   yes I'm back
         B   G   D   A   G   A   G   D   A   G
       Well I'm back,   yes I'm back
         A   E   B   A   B   A   E   B   A
       Well I'm back,   back
        B   G
       Well I'm back in black,
         D
       Yes I'm back in black

Solo   E   D/E   A/E   E   D/E   A/E   A   E   A   E   D/E   A/E   E   D/E   A/E   A   E   A
       E   D/E   A/E   E   D/E   A/E   A   E   A   E   D/E   A/E   E   D/E   A/C#   E   A   E   A

```
Chorus              A E B A     B    A E B A
        Cause I'm back,        yes I'm back
               B    G D A G     A   G D A G
        Well I'm back,         yes I'm back
               A    E B A B A E B A
        Well I'm back,         back
               B  G
        Well I'm back in black,
               D          E
        Yes I'm back in black


                 A E B A  B A E B A  B
        Well I'm back,       back,
        G D A G A G D A G A
        Back,          back,
        E B A B A E B A
        Back ,      back
        B     G
        Well I'm back in black
               D          A5
        Yes I'm back in black,     I wanna say it!

        E A D E A D
        Repeat and fade, ad lib solo
```

Bad Blood

Words & Music R. Barnard and W. McDonald
© Copyright Festival Music Pty. Limited. International Copyright Secured.
All Rights Reserved. Used by Permission

Vs 1   G
Big head, little feet, always bittersweet,
                Em F   G
Indiscreet, super heat, hyper mega freak

Chorus   Dm   Am   F   G
Well I can see the blood running through your veins
     Dm Am G Dm G
It's bad blood

Vs 2   G
Sun's out by the sea pretty people at the beach
                      Em   F   G
Waves roll, the waves churn, you only come to watch them burn

Chorus   Dm   Am   F   G
Well I can see the blood running through your veins
Dm   Am   F   G
It's bad blood running through your veins
        Dm   Am   F   G
I can hear the blood running through your veins
Dm   Am   F G
And it's bad blood

Bridge   Eb   G7sus G   Bb   G7sus G
Well my heart is pumping love   through my veins, through my veins
         Eb   G7sus G   Bb   A5   Ab5 G
And our blood is not the same, it's not the same, it's not the same, you got bad blood

Solo   G Em F G Em F G Em F

        G   Em   F   G
Big Head, little feet, Hyper mega freak

Chorus   Dm   Am   F   G
Well I can see the blood running through your veins
Dm   Am   F   G
It's bad blood running through your veins
        Dm   Am   F   G
I can hear the blood running through your veins
Dm   Am   F   G
And it's bad blood, Uh uh uh

        Eb   G7sus G   Bb   G7sus G
Well my heart is pumping love   through my veins, through my veins
         Eb   G7sus G   Bb   Gsus4 G
And our blood is not the same, it's not the same, it's not the same,
        Eb   G7sus G   Bb   G7sus G
Well my heart is pumping love   through my veins, through my veins
         Eb   G7sus G   Bb   Bb A5 Ab5 G
And our blood is not the same, it's not the same, it's not the same,

Beautiful To Me

Words & Music Katy Steele, Simon Leach,
Matt Chequer and Scott O'Donoghue
© Copyright Sony/ATV Music Publishing.
International Copyright Secured. All Rights
Reserved. Used by Permission.

```
Vs 1    C        Am
        Go ahead, Don't go
             Dm7          G
        Don't leave my open arms
          G7/F    Em7           Am
        I'll walk and go then I don't know
                G
        If you're here for me,
             C         Am
        Well look the afternoon
                Dm7      G      G7/F  Em7
        is the only place that you and I belong,
               Am    Dm7     G
        You're mine forever and a day

Chorus        C            Am      Em  G7
        You're beautiful you're beautiful to me
              C            Am      Em  G7
        You're beautiful you're beautiful to me

Vs 2    C    Am  Dm7      G
        Definitely, this can not be
               G7/F  Em7        Am
        All that you   have to offer love
                 G
        When you're on your own
            C          Am         Dm        G7
        Oh look I fell in love cause this world is way to big now

Chorus        C            Am      Em  G7
        You're beautiful you're beautiful to me
              C            Am      Em  G7
        You're beautiful you're beautiful to me
              F    C    G        Em
        And it's love, love, love that is with me

Inst    F   C   F   C   Dm7  G7
        Ahh -

Vs 3         C          Am
        Well look the afternoon
             Dm7        G      G7/F
        Is the only place that you and I
            Em       Am    Dm7     G
        Belong, you're mine forever and a day

Chrous        C            Am      Em  G7
        You're beautiful you're beautiful to me
              C            Am      Em  G7
        You're beautiful you're beautiful to me
              C            Am      Em  G7
        You're beautiful you're beautiful to me
              C            Am      Em  G7
        You're beautiful you're beautiful to me

Outro   C  Am  Em  G7  C  Am  Em  G7
        Ahh – (repeat and fade)
```

Beds Are Burning

Words & Music Midnight Oil
© Copyright 1987 Sprint Music Administered by Sony/ATV Music
Publishing Australia. International Copyright Secured. All Rights
Reserved. Used by Permission.

Vs 1   E
Out where the river broke

The bloodwood and the desert oak

Holden wrecks and boiling diesels

Steam in forty five degrees
  E   D/E
The time has come to say fair's fair
   A/E   E
To pay the rent , to pay our share
  E   D/E
The time has come, a fact's a fact
   A/E   F#   E G A
It belongs to them, let's give it back

Chorus Em   C   G
How can we dance when our earth is turning
        Em   C   D B/D#
How do we sleep while our beds are burning
        Em   C
The time has come to say fair's fair
    G   D   E
To pay the rent to pay our share

Vs 2   E
Four wheels scare the cockatoos

From Kintore East to Yuendemu

The western desert lives and breathes

In forty five degrees

  E   D/E
The time has come to say fair's fair
   A/E   E
To pay the rent , to pay our share
  E   D/E
The time has come, a fact's a fact
   A/E   F#   E G A
It belongs to them, let's give it back

Chorus Em   C   G
How can we dance when our earth is turning
        Em   C   D B/D#
How do we sleep while our beds are burning
        Em   C
The time has come to say fair's fair
    G   D
To pay the rent, to pay our share

        Em   C   G
How can we dance when our earth is turning
        Em   C   D
How do we sleep while our beds are burning x 2
E G A E   G A

Before Too Long

Vs 1
```
        A      Em       G       A       D       G  D
Before too long, the one that you're lovin' will wish that he'd never met you
        A      Em       G       A       D       G   A
Before too long, he who is nothin' will suddenly come into view
        G               D           A  Em
So let the time keep rollin' on, it's on my side
        G               D           A
Lonely nights will soon be gone, high is the tide

G G D G G  D
```

Vs 2
```
          A  Em       G       A       D    G   D
Before too long, we'll be together and no-one will tear us apart
          A      Em       G       A       D       G  A
Before too long, the words will be spoken I know all the action by heart
        G               D           A  Em
As the night time follows day I'm closing in
        G               D           A
Every dog will have his day Any dog can win

Em          G,       D       A
Shut the shade, do not fear any more
Em          G        D               A
Here I come creeping round , Your back door
G G D
G G G D
G G G G D
```

Inst Vs
```
A  Em  G  A  D  G  D  A  Em  G  A  D  G  A
   G  D  A  G  D  A
   G G D
   G G D
```

Vs 3
```
          A      Em   G       A       D       G  D
Before too long , I'll be repeating what's happened before in my mind
          A      Em       G  A       D       G  A
Before too long Over and over just like a hammer inside

        G               D           A  Em
As the night time follows day I'm closing in
        G               D           A
Every dog will have his day Any dog can win

G G D
G G D
```

Inst Vs
```
A  Em  G  A  D  G  D
A  Em  G  A  D  G  A

G  D  A
G G D
G G G D
G G G G D
```

Berlin Chair

Words & Music T. Rogers, A. Kent and M. Tuneley
© Copyright Universal Music Publishing. International Copyright
Secured. All Rights Reserved. Used by Permission.

Vs 1 G   Bm
   If half of what I'm saying, of what I'm saying is true
     G   Bm
   Will you rub my head, make it all shiny and new?
     G   Bm
   And you drag my coat tails, drag my coat tails down
     G   Bm
   And I'll be the only cold assed king around.

Chorus D   G   Em G
   If you wait I'll give all my aches to you.
     D   G   Em G
   Take the chance, to ignore what you're going through?
       D   G   Em G
   My cold hand is there for you to take
         D   G   Em G
   I'm your Berlin Chair, won't you lean on me 'til I break.

Vs 2   G   Bm
   I'll ignore each golden, dragging kiss you can give.
     G   Bm
   On the blankest face that you ever had to forgive .
     G   Bm
   If you see my fallings, see my failings through.
     G   Bm
   I'm the re-run that you'll always force yourself to sit through.

Chorus D   G   Em G
   If you wait I'll give all my aches to you.
       D   G   Em G
   Take the chance, to ignore what you're going through?
       D   G Em G
   My cold hand is there for you to take
         D   G   Em G
   I'm your Berlin Chair, won't you lean on me 'til I break.
   G
   Well you're too late. You're too late.

   You're too late. You're too late.

Outro D G Em G D G Em G
    D G Em G D G Em G D

Better Be Home Soon

Words & Music Neil Finn
© Copyright 1988 Roundhead Music/Mushroom Music Pty. Limited
for Australia and New Zealand. International Copyright Secured. All
Rights Reserved. Used by Permission.

```
Vs 1   C                      Am
       Somewhere deep inside
                   Em              G
       Something's got a hold on you
             C          Am
       And it's pushing me aside
                   Em         G
       See it stretch on forever

Chorus               C       C7
       And I know I'm right
                         F
       For the first time in my life
                       G   Gsus4   G
       That's why I tell you
                              C
       You'd better be home soon

Vs 2   C                 Am
       Stripping back the coats
                   Em        G
       Of lies and deception
       C                Am
       Back to nothingness
                   Em          G
       Like a week in the desert

Chorus               C     C7
       And I know I'm right
                         F
       For the first time in my life
                       G   Gsus4   G
       That's why I tell you
                         C     C/B
       You'd better be home soon

Bridge Bb        D                G
       Don't say no, don't say nothing's wrong
       Bb              A              D
       When you get back home maybe I'll be gone
       C     A    Em  G   C    Am  Em  F   Bb

       C                 Am
       It would cause me pain
                   Em        G
       If we were to end it
       C                Am
       But I would start again
                   Em          G
       Baby you can depend on it

Chorus               C     C7
       And I know I'm right
                         F
       For the first time in my life
                       G   Gsus4   G
       That's why I tell you
                       Am         D7
       You'd better be home soon
                     F      G                C
       That's why I tell you, you'd better be home soon
```

Words & Music Richard Clapton
© Copyright Rondor Music Publishing. International Copyright
Secured. All Rights Reserved. Used by Permission

Best Years
Of Our Lives

Intro   A Amaj9 C#m7 Bm7 Bm7 A Amaj9 C#m7 Bm7   D/A

Vs 1
```
          A            D       A         Bm7
Oh Michael all the lines are down it's Australia day weekend,
D                  A                F#m7
Every time the wheel slows down I think of all my friends,
D                          A
What ever happened to the days way back
       F#m7                         D
When the Bondi Life Saver was always ragin'
D                A            F#m7             D
Standing here in Oxford Street and the ghosts are howling
D            E
Geez it's raining
```

Chorus
```
        A          E/A    C#m7                          Bm
    I say don't waste time,    these are the best years of our lives

        A          E/A    C#m7                          Bm      D
    I said don't waste time,    these are the best years of our  lives
```

Vs 2
```
A              D       A           Bm
I wish I had been around when the Bondi Icebergs reigned
D                      A             F#m
Sometimes I sit and think of it and dream of better days
D                         A              F#m
Whatever happened to the days way back in the nineteen thirties
D
All those endless spirits
                     A                F#m                  D      E
I'm still to young to understand how it was back then when the party ends
```

Chorus
```
        A          E/A    C#m7                          Bm
    I say don't waste time,    these are the best years of our lives

        A          E/A    C#m7                          Bm      D
    I said don't waste time,    these are the best years of our  lives
```

Vs 3
```
A  D  A  Bm7
(Inst)
D                    A
They say the circle turns around
       F#m          D
There'll be better days and I don't mind waiting
          A
I wish I had stopped ten years ago
      F#m               D          E
But I'm still learning slowly, life is always changing
```

Chorus
```
        A          E/A    C#m7                          Bm
    I say don't waste time,    these are the best years of our lives

        A          E/A    C#m7                          Bm      D
    I said don't waste time,    these are the best years of our  lives
```

Vs 4
```
     A              D    A          Bm
I got a letter from Doctor Pepper, Ten thousand words to the page
         D              A         F#m
He was talking about Gurdjieff, then I dozed about halfway
D                      A              F#m
Whatever happened to the days back when the world was safe,
D                A
And it seemed worth saving
D                A
We search for leaders on our hands and knees,
   F#m                        D     E
But don't ask David, 'cause he's still crazy
```

Chorus
```
      A        E/A   C#m7              Bm
I say don't waste time,    these are the best years of our lives

      A        E/A   C#m7              Bm     D
I said don't waste time,   these are the best years of our  lives
```

Better

Words & Music Paul Woseen, Grant Walmsley,
David Gleeson, Richard Lara & Brad Heaney
© Copyright Universal Music Publishing. International Copyright Secured. All Rights
Reserved. Used by Permission.

Vs 1   **A**

Still didn't know what happened when you knocked upon my door

The things you had, the life you lived all the dreams you had before.

Your eyes you face your heart and soul, you know they said it all

What happened on that day back then, the moment hurt us all
F#m   **A**   **D**   **E**
Now you can see the reason why not everyone's the same
     F#m   **A**   **D**   **E**
And you don't have to please them, or try hard to save your name

Chorus **A**   **C**

Say you never get anywhere, well they don't care and it's just not fair
D   **A**
You know, and I know better.
A   **C**
Say you never get anywhere, well they don't care and it's just not fair
D   **A**
You know, and I know better. (Yes I do)

Vs 2   **A**

Well the days go by and you wonder why, "is this really true?"

Your heart says "No" but your feelings show everything you never knew

But you and I, we knew deep down, that ain't really you

We always knew that it'd work out right and we could start anew
F#m   **A**   **D**   **E**
Now you can see the reason why not everyone's the same
     F#m   **A**   **D**   **E**
And you don't have to please them, or try hard to save your name

Chorus **A**   **C**

Say you never get anywhere, well they don't care and it's just not fair
D   **A**
You know, and I know better.
A   **C**
Say you never get anywhere, well they don't care and it's just not fair
D   **A**
You know, and I know better.

Bridge **A**

Well things ain't always what they seem

So wake up man get outta your dreams

Things ain't always what they seem so wake up!

Well things ain't always what they seem

Wake up man, you're in my dreams!

Things ain't always...
F#m   **A**   **D**   **E**
Oh now you can see the reason why not everyone's the same
F#m   **A**   **D E**
And you don't have to please them, or try hard

Chorus **A**   **C**
       Say you never get anywhere, well they don't care and it's just not fair
       D   **A**
       You know, and I know better.
       A   **C**
       Say you never get anywhere, well they don't care and it's just not fair
       D   **A**
       You know, and I know better.
       A   **C**
       Say you never get anywhere, well they don't care and it's just not fair
       D   **A**
       You know, and I know better. A one, two, three, four,

Dbl Time **A**   **C**   **D**   **A**
       Say you never get anywhere, Well they don't care and it's just not fair
       A   **C**   **D**   **A**
       You're never ever gonna get anywhere, that's what they tell me
       A   **C**
       Never, never, never, never, never, never, never gonna get anywhere
       D   **A**
       They don't care, and that's not fair!
       A
       Say you'd never get anywhere
rit.   **C**
       They don't care and it's just not fair
        G   **A**
       That you know, and I know

Better Days

Words & Music Pete Murray
© Copyright Sony/ATV Music Publishing. International Copyright
Secured. All Rights Reserved. Used by Permission.

Vs 1   Gadd9 D   F#m   Bm
I saw it coming, I saw emptiness and tragedy
Gadd9   D   F#m   G
And I felt like running, so far away, but I knew I had to stay.
Gadd9   D   F#m   Bm Bm/A
I know when I'm older, I'll look back and I'll still feel the pain
Gadd9   D   F#m
but I know I'll be stronger and I know I'll be fine for the rest of my days.

Chorus D F#m Bm G
               I've seen Better Days,
      D F#m Bm   G
           Put my face in my hands
      D F#m Bm   G   D   F#m   Bm
              Get down on my knees and I pray to god
          G   D   F#m Bm G
Hope he sees me through to the end.

Vs 2   Gadd9   D   F#m   Bm A
Now I notice most things but I didn't notice the change
Gadd9   D   F#m   G
It was hot in the morning, then it turned so cold towards the end of the day.
Gadd9   D   F#m   Bm A
There was no conversation, I just felt like I was in space
Gadd9   D   F#m
I needed my friends there, I just turned around and they were gone without a trace,

Chorus D F#m Bm G
               I've seen Better Days,
      D F#m Bm   G
           Put my face in my hands
      D F#m Bm   G   D   F#m   Bm
              Get down on my knees and I pray to god
          G   D   F#m Bm G
Hope he sees me through to the end.

Solo   Gadd9 D F#m Bm A
        Gadd9 D F#m

Vs 3   Gadd9   D   F#m   Bm A
Now I have just started and I won't be done 'til the end.
Gadd9   D   F#m   G
There is nothing I have lost that was once placed in the palm of my hands
Gadd9   D   F#m   Bm A
and all of these hard times are fading around the bend.
Gadd9   D   Fm
Now that I'm wiser I cannot wait till I can help my friends

Chorus D F#m Bm G
               I've seen Better Days,
      D F#m Bm   G
           Put my face in my hands
      D F#m Bm   G   D   F#m   Bm
              Get down on my knees and I pray to god
          G   D   F#m Bm G
Hope he sees me through to the end. (repeat chorus)
      D F#m Bm   G
Na na,   na na na na na x 4

Bittersweet

Words & Music Dave Faulkner
© Copyright Sony/ATV Music Publishing. International Copyright
Secured. All Rights Reserved. Used by Permission.

Intro   D G C G D G C G D G C G D G C G D G C

Vs 1
```
        G    D        G   C       G      D       G  C
You are    my sword.   Your love is its own reward.
        G    D        G   C          G       D
My heart,   I have found,   gets carved surely by the pound.
```

G C G D G C G D G C

Vs 2
```
          G   D    G   C            G    D         G  C
God knows.  I tried,   Tried to hold you with all my might
         G   D     G   C        G      D
But time   has won,   And I could never be that strong.
G      C    G       D          G      C  G    D
(Don't cry) I couldn't be that strong, (Don't cry) That used to be my favourite song.
G      C    G          D      G    C  G  D              A
(Don't cry) Tears so bittersweet, (Don't cry) Fill my eyes whenever we meet,
      G             D
It's always bittersweet.
```

Vs 2
```
G   C        G   D                 G    C          G  D
I cut   and I bleed.   You seem to find that so hard to believe!
     G   C       G   D              G        C
That's just too, too bad.   You could never touch the love that we had.
G    D G      C      G   D  G    C
(Don't cry) For the love we had,  (Don't cry) Sometimes we try to take it back.
G    D G      C       G   D G  C                    A
(Don't cry) Tears so bittersweet  (Don't cry) Kiss my cheeks whenever we meet.
       G
It's always bittersweet.
```

Solo   D G C G D G C G D G C G D G C

```
G      D G     C            G   D G    C
(Don't cry) For a love-gone-wrong, (Don't cry) That used to be my favourite song
G      D G     C          G   D G C                 A
(Don't cry) Tears so bittersweet, (Don't cry)   fill my eyes whenever we meet.
      G    E
Anyway...
```

Vs 3
```
         A   D          A   E            A   D        A   E
We've grown   and times change. when we meet now it feels so strange.
         A   D          A   E            A   D        A   E
Well I hold you like a sword,    and you won't cut me, cut me like you did before.
```

A D A E A D A E A D A E A D

```
   A  E   A  D        A  E   A  D
It's always bittersweet. It's always bittersweet.
   A  E   A  D        A  E    A  D
It's always bittersweet. Bitter sweet, bittersweet

   A  E  A  D
(repeat and fade)
```

Betterman

Words & Music John Butler
© Copyright John Butler. International Copyright Secured. All Rights Reserved. Used by Permission.

Intro   G5 Bb5 F5 G5 Bb5 F5 x 2

Vs 1   G5   Bb5   F5   G5
So better man I am since I come into contact with you
G5   Bb5   F5   G5
And you taught so many things about myself and you know this is true
G5   Bb5   F5   G5
But now we are apart and its all my fault cos you know I need to be alone
G5   Bb5   F   G5
Don't know myself so how can I share me with you girl or anyone

Chorus Eb   Bb5   F5
Don't want to be a thorn in your side, good woman
               Eb   Bb5
Always be the one to make you cry
                 F5
Don't wanna be that guy, good woman
             Eb   Bb5   F5
Cos you deserve everything, and I got nothing so leave me
             Eb   Bb5   F5
And I'll go away better off I stay, far from you, you,you,you,you
               G5   Bb5 F5
'Cos you are beautiful
              G5   Bb5 F5 G5
A beautiful woman

Vs 2   G5   Bb5   F5   G5
Now typical man I am because you think I want my cake and eat it too
G5   Bb5   F5   G5
Cos say I can't be in a relationship, I still feel for you
G5   Bb5   F5   G5
Cos you are the best woman this old man has ever met
G5   Bb5   F5   G5
You taught me about my soul, you shared with me your magic

Chorus Eb   Bb5   F5
Don't want to be a thorn in your side, good woman
               Eb   Bb5
Always be the one to make you cry
                 F5
Don't wanna be that guy, good woman
             Eb   Bb5   F5
Cos you deserve everything, and I got nothing so leave me
             Eb   Bb5   F5
And I'll go away better off I stay, far from you, you,you,you,you
               G5   Bb5 F5
'Cos you are beautiful

Solo   G5 Bb5 F5 G5 Bb5 F5 G5 x 10

Vs 3   G5   Bb5   F5   G5
So better man I am since I come into contact with you
G5   Bb5   F5   G5
And you taught so many things about myself and you know this is true
G5   Bb5   F5   G5
But now we are apart and its all my fault cos you know I need to be alone
G5   Bb5   F   G5
Don't know myself so how can I share me with you girl or anyone

Outro   **Gm**   **Bb5** **F**   **Gm**   **Bb5 F**   **Gm**
Beautiful, beautiful,   beautiful woman, beautiful, beautiful, beautiful woman
Gm   **Bb**   **F**   **Gm**
So better man I am , So better man I am and I owe it all to you
Gm   **Bbsus2**   **F**   **Gm**
Better man I am because of you, because of you so sing it
Gm   **Bb F**   **Gm**   **Bbsus2 F**   **Gm**
Beautiful, beautiful, beautiful woman, beautiful, beautiful,   beautiful woman
(repeat ad lib and fade)

Black Betty

Words & Music Pty Ltd Huddie Ledbetter
This arrangement by Mark Maher, Damien Whitty and Janet English
© Copyright Sony/ATV Music Publishing. International Copyright
Secured. All Rights Reserved. Used by Permission.

Intro   D G F
        C D C   D F C D C   D F
        C D C   D F C D C   D F
        D N.C.
Whoa, Black Betty, bam-ba-lam

Yeah, Black Betty, bam-ba-lam
                           D N.C.
Black Betty had a child, bam-ba-lam
                     D N.C.
Damn thing gone wild, bam-ba-lam
                 D N.C.
She's always ready, bam ba lam
                 D N.C.
She's all rock steady, bam ba lam
              D N.C.
Woah, Black Betty, bam-ba-lam
              D N.C.
Yeah, Black Betty,   bam-ba-lam
       C D C D F
               All right
Inst   C D F G F D C D F G F D C
        D F G F D C D F G F D C D F

Vs 2   D N.C
Woah, Black Betty, bam-ba-lam

Go, Black Betty, bam-ba-lam
                      D N.C.
She really gets me high, bam-ba-lam
               D N.C.
Yeah that's no lie   bam-ba-lam
               D N.C.
She's always ready,   bam-ba-lam
               D N.C.
She's all rock steady, bam-ba-lam
              D N.C.
Whoa, Black Betty bam-ba-lam
              D N.C.
Yeah, Black Betty bam-ba-lam

        D
                    Yeah!
        F G F D C D F D

        D
Oh Yeah, all right, oh yeah all right
                           F G
Oh Yeah, all right, oh yeah , oh yeah, go!

Inst   D   F G D   F G
                         Yeah yeah yeah Hey
        D   F G D   F   G   D

Vs 3
```
D                              C
Whoa, Black Betty, bam-ba-lam
D                              C
Go, Black Betty, bam-ba-lam
C     D
She's from Birmingham, bam-ba-lam
C     D
Way down in Alabam', bam-ba-lam
C     D
Black Betty had a child, bam-ba-lam
C     D
Damn thing gone blind, bam-ba-lam
C     D
Whoa, Black Betty, bam-ba-lam
C     D
Yeah, Black Betty bam-ba-lam

C  D  C  D  F  C  D  C  D  F
C  D  C  D  F  C  D  C  D  F
C  D  F  G  F  D  C  D  F  G  F  D  C
D  F  G  F  D  C  D  F  G  F  D  C

D
Bam ba lam!
```

Black Stick

Words & Music Perkins & Rumour
© Copyright Universal Music Publishing. International Copyright
Secured. All Rights Reserved. Used by Permission.

Intro   F Eb F Eb F Eb F Eb

Vs 1
```
        F           Eb            F           Eb      F        Eb       F   Eb
My heart is a muscle and it pumps blood like a big old black steam train
        F               Eb           F   Eb    F  Eb  F  Eb
My veins are the tracks, and the city is my brain
        F               Eb           F              Eb         F          Eb         F   Eb
My stomach is the ocean and it swallows up the sun at the end of a summer's day
        F               Eb
My breath's like a breeze, it blows all those storm clouds away
```

Chorus
```
F   Eb   F   Eb
| - |
F   Eb   F   Eb
| - |
F   Eb   F   Eb
| – |   |–| –| –|- |-|
F   Eb   F   Eb
```

Vs 2
```
        F             Eb          F              Eb            F       Eb    F   Eb
My head is the city and it houses all the thoughts and speech that I have
                F               Eb            F              Eb          F  Eb  F  Eb
And the mayor of the city says the city seems ain't half ... bad.
        F               Eb           F     Eb    F  Eb  F  Eb
My arms could be weapons or instruments        of love
        F               Eb
My legs are skyscrapers, they tower above you
```

Chorus
```
F   Eb   F   Eb   F   Eb   F   Eb
| – |           |- |
F   Eb   F   Eb   F   Eb   F   Eb
| – |           |- |  |-|-|-|-|-|
```

Solo
```
F   Eb   F   Eb   F   Eb   F   Eb
F   Eb   F   Eb   F   Eb   F   Eb
F   Eb   F   Eb   F   Eb   F   Eb
F   Eb   F   Eb   F   Eb   F   Eb
```

Vs 3
```
        F           Eb            F           Eb      F        Eb       F   Eb
My heart is a muscle and it pumps blood like a big old black steam train
        F               Eb           F   Eb    F  Eb  F  Eb
My veins are the tracks, and the city is my brain
        F               Eb           F              Eb         F          Eb         F   Eb
My stomach is the ocean and it swallows up the sun at the end of a summer's day
        F               Eb
My breath's like a breeze, it blows all those storm clouds away
```

Chorus
```
F   Eb   F   Eb   F   Eb   F   Eb
| – |           |- |
F   Eb   F   Eb   F   Eb   F   Eb
| – |           |- |  |-|-|-|-|-|
```

```
   F   Eb        F   Eb       F   Eb   F   Eb
|-|        could be your world              x4

F   Eb   F   Eb   F   Eb   F   Eb
(repeat ad lib and fade)
```

Bless My Soul

Words & Music Bernard Fanning, Darren Middleton, John Collins, Ian Haug and Jonathan Coghill
© Copyright BMG Music Publishing. International Copyright Secured. All Rights Reserved. Used by Permission.

Intro   Ab Bb Ab Bb

Vs 1   **Ab**   **Bb**
        Push me right over and hold me down under the waves
        Ab   **Bb**
        If I'm out breath maybe I'll recognise my mistakes
          Ab   **Bb**
        Coz nothing I've done yeah is worthy of showing to you
          Ab   **Bb**
        It's just meaningless bullshit and promises all there to you
          Eb   **Eb7/Db**   **Ab/C Abm/Cb**   **Bb**
        'Cause I need somewhere to begin   somebody gotta let me in

Chorus **F**   **Ab**
        Colour me with red and gold
        Eb   **Bb**
        Your sweet love has blessed my soul
        F   **Ab**
        Colour me with red and gold
              Bb
        Come bless my soul

Vs 2   **Ab**   **Bb**
        Well I left the thunder and rain of my past all behind
           Ab   **Bb**
        When I'm looking back there's a shadow that falls over my time
          Ab   **Bb**
        'Cause nobody knows just what happened to me there in Spain
          Ab   **Bb**
        Life has turned me right over and left me to be ever changed
        Eb   **Eb7/Db**   **Ab/C Abm/Cb**   **Bb**
        I need somewhere to begin   somebody gotta let me in

Chorus **F**   **Ab**
        Colour me with red and gold
        Eb   **Bb**
        Your sweet love has blessed my soul
        F   **Ab**
        Colour me with red and gold
              Bb
        Come bless my soul

Solo   Ab Bb Ab Bb Eb Gb Db
        Ab Eb
                        F Ab Eb Bb
        Won't you come back and bless
                        F Ab Eb Bb
        Won't you come back and bless

        Won't you come back and bless
        F   **Ab**   **Eb** **Bb**
        (oh love bless my soul) Your sweet love
        F   **Ab**   **Eb** **Bb**
        (oh love bless my soul) Won't you come back and bless
        F   **Ab**   **Eb** **Bb**
        (oh love bless my soul) Come back and bless
        F   **Ab**   **Eb** **Bb**
        (oh love bless my soul) Won't you come back and bless
        F   **Ab**   **Eb** **Bb**
        (oh love bless my soul)
        (repeat and fade)

Blow Up The Pokies

Words & Music Tim Freedman & Greta Gertler
© Copyright Black Yak/Phantom Music/Warner
Chappell Music. International Copyright Secured. All
Rights Reserved. Used by Permission

```
     Fmaj7b5      Em
There was the stage
     Fmaj7b5          Em
Two red lights and a dodgy P.A.
     Fmaj7                 G
You trod the planks way back then
     Fmaj7            G      Am   G    F
And it's strange that you're here again, here again
```

```
Chorus     C         G        Am
       And I wish, I wish I knew the right words
           C         G        Am       F
       To make you feel better, walk out of this place
           C         G        Am   F
       And defeat them in your secret battle
       G         Am        Em     F
       Show them you can be your own man again
```

```
     Fmaj7b5      Em
Don't, don't explain
     Fmaj7            Em
Lots of little victories take on the pain
     Dm             Em7
It takes so long to earn
     Dm              G      Am   G    F
You can double up or you can burn, you can burn
```

```
Chorus     C         G        Am
       And I wish, I wish I knew the right words
           C         G        Am       F
       To make you feel better, walk out of this place
           C         G        Am   F
       And defeat them in your secret battle
       G         Am        Em     F
       Show them you can be your own man again
```

```
C  G  Am  F   C  G  Am  F
C  G  Am  F   C  G  Am  F
```

```
Chorus     C         G        Am
       And I wish, I wish I knew the right words
           C         G        Am       F
       To make you feel better, walk out of this place
           C         G        Am   F
       Cause they're taking the food off your table
       G         Am        Em     F
       So they can say that the trains run on time
```

```
         Fmaj7b5       Em
Flashing lights, it's a real show
            Fmaj7b5        Em
And your wife? I wouldn't go home
     Dm              G
The little bundles need care
     Dm              G     Am   G    F
And you can't be a father there, father there
```

Chorus   C   G   Am
And I wish, I wish I knew the right words
      C   G   Am   F
To make you feel better, walk out of this place
        C   G   Am F
And defeat them in your secret battle
G   Am   Em   F
Show them you can be your own man again
G   Am   Em   F
Show them you can be your own man again
      C   G   Am
And I wish, I wish I knew the right words
      C   G   Am   F
To make you feel better, walk out of this place
        C   G   Am F
Cause they're taking the food off your table
G   Am   Em   F
So they can say that the trains run on time
  G   Am   Em   Fmaj7
Another man there was made the trains run on time

Blue Sky Mine

Words & Music Midnight Oil
© Copyright Sprint Music Administered by Sony/ATV
Music Publishing Australia. International Copyright
Secured. All Rights Reserved. Used by Permission.

Dm F Dm G Dm Am F C

Intro
```
Dm    F    Dm G       Dm         Am      F  C
Hey, hey-hey hey, there'll be food on the table tonight
Dm    F    Dm G       Dm         Am      F  G
Hey, hey, hey hey, there'll be pay in your pocket tonight
```

Vs 1
```
C                          Am
My gut is wrenched out it is crunched up and broken
C                     Am
My life that is lived is no more than a token
     F                G          Am      B°7
Who'll strike the flint upon the stone and tell me why
C                       Am
If I yell out at night there's a reply of blue silence
C                    Am
The screen is no comfort I can't speak my sentence
     F                G            Am
They blew the lights at heaven's gate and I don't know why
```

Chorus
```
      Dm     F    Dm    G          Dm        Am     F  C
But if I work all day at the blue sky mine, there'll be food on the table tonight
      Dm     F      Dm     G        Dm        Am       F  G
Still I walk up and down on the blue sky mine there'll be pay in your pocket tonight
```

Vs 2
```
        C                Am
The candy store paupers lie to the share holders
        C                  Am
They're crossing their fingers they pay the truth makers
F          G        Am
The balance sheet is breaking up the sky
       C                 Am
So I'm caught at the junction still waiting for medicine
          C              Am
The sweat of my brow keeps on feeding the engine
         F              G         Am
Hope the crumbs in my pocket can keep me for another night
        Bb/E     Dm          G
And if the blue sky mining company won't come to my rescue
        Bb/E    Dm        G    F
If the sugar refining company won't save me
     Bb    C    Am       C   Am        C
Who's gonna save me?, Who's gonna save me? Who's gonna save me?
```

Chorus
```
      Dm     F    Dm    G          Dm        Am     F  C
But if I work all day at the blue sky mine, there'll be food on the table tonight
      Dm     F      Dm     G        Dm        Am       F  C
Still I walk up and down on the blue sky mine there'll be pay in your pocket tonight
      Dm     F      Dm     G
And some have sailed from a distant shore
      Dm     Am         F       C
And the company takes what the company wants
      Dm     F      Dm      G        Dm      Am  F  C
And nothing's as precious, as a hole in the ground
```

Gtr Solo C Am C Am F G Am C Am C Am F G Am F

Outro   **Bb**   **C**   **Am**   **C**   **F**   **G**

Who's gonna save me? Who's gonna save me? I pray for sense and reason

                   Am   **C**   **F**   **G**

Who's gonna save me? Who's gonna save me? We've got nothing to fear

C   **Am**   **C**   **Am**

In the end the rain comes down, in the end the rain comes down

F   **G**   **C**

Washes clean, the streets of a blue sky town

Born To Try

Words & Music Delta Goodrem & Audius Mtawarira
© Copyright Sony/ATV Music Publishing Australia. International Copyright
Secured. All Rights Reserved. Used by Permission

```
      Ab          Eb/G        Fm
Doing everything that I believe in
      Ab          Eb/G            Fm
Going by the rules that I've been taught
      Ab          Eb/G      Fm
More understanding of what's around me
      Ab          Eb/G      Fm
And protected from the walls of love
      Bbm  Ab  Eb/G
All that you see is me
      Bbm  Ab  Eb  Ebsus4
And all I truly believe
```

Chorus
```
                  Ab    Eb/G          Fm
That I was born to try,     I've learned to love
            Ab     Eb/G          Fm
Be understanding and believe in life
                     Bbm  Ab            Eb/G
But you've got to make choices, be wrong or right
                  Bbm      Ab            Eb   Ebsus4
Sometimes you've got to sacrifice the things you like
                  Ab   Absus2
But I was born to try
```

Vs 2
```
      Ab          Eb/G              Fm
No point in talking what you should have been
      Ab          Eb/G          Fm
And regretting the things that went on
      Ab          Eb/G     Fm
Life's full of mistakes, destinies and fate
      Ab          Eb       Fm
Remove the clouds look at the bigger picture
      Bbm  Ab  Eb/G
And all that you see is me
      Bbm  Ab  Eb  Ebsus4
And all I truly believe
```

Chorus
```
                  Ab  Eb/G          Fm
That I was born to try,     I've learned to love
            Ab     Eb/G          Fm
Be understanding and believe in life
                     Bbm  Ab            Eb/G
But you've got to make choices, be wrong or right
                     Bbm      Ab         Eb   Ebsus4
Sometimes you've got to sacrifice the things you like
                  Ab   Absus2
But I was born to try
```

```
      Bbm  Ab  Eb/G
All that you see is me
      Bbm  Ab  Eb  Ebsus4
And all I truly believe
      Bbm  Ab  Eb/G
All that you see is me
      Bbm  Ab  Eb  Ebsus4
And all I truly believe
```

Chorus

                      Ab Eb/G   **Fm**
That I was born to try,   I've learned to love
            Ab   **Eb/G**   **Fm**
Be understanding and believe in life
                Bbm Ab6
But you've got to make choices, be wrong or right **Eb/G**
                  Bbm   **Ab**   **Eb** **Ebsus4**
Sometimes you've got to sacrifice the things you like
            Ab
But I was born to try

  Eb/G Fm Eb/G Ab Eb/G Fm

                   Bbm Db/Ab   **Eb/G**
But you've got to make choices, be wrong or right
                  Bbm   **Ab/C Db**   **Eb**
Sometimes you've got to sacrifice the things you like
N.C
But I was born to try

Words & Music Ian Moss
© Copyright Mosstrooper Pty. Limited/Mushroom
Music Pty. Limited. International Copyright
Secured. All Rights Reserved. Used by Permission.

Bow River

Intro   A   Am7
      Listen now to the wind babe, listen now to the rain
      D   A9
      Feel that water lickin' at my feet again
       Am   G/B   C
      I don't wanna see this town no more
      Dm   C/E   F
      Wastin' my days on a factory floor
         F7   E7   Am
      First thing you know I'll be back in Bow River again

Vs 1   Am   Dm7
      Anytime you want babe, you can come around
        F   E7   Am
      But only six days separates me and the great top end
                        D
      I been working hard, twelve hours a day
         F   E7   Am
      And the money I saved won't buy my youth again
                     Dm
      Goin' for the heat babe, and a tropical rain
        F   E7   Am
      .And a place where no man's puttin' on the dog for me
                     Dm7
      Waitin' on the weekend, set o' brand new tyres
        F   E   Am
      And back in Bow River's just where I wanna be

Chorus   A   Am
      Listen now to the wind babe, listen now to the rain
      D/A   A
      Feel that water lickin' at my feet again
       Am7   G/B   C
      I don't wanna see this town no more
      Dm   C/E   F   G   Am   G/B
      Too many years made up my mind to go or stay
      C   D   E7
      Right to my dying day
       Am   G/B   C   C/E
      I don't wanna see another engine line
      Dm   C   F
      Too many years that I owe my mind
      F7   E7   Am
      First set o' wheels headin' back Bow River again
      F7   E7   Am
      First thing you know I'll be back in Bow River again

Solo   Am   G5   Am   D5   C5   D5   F   E7   Am
      Am   G5   Am   D5   C5   D5   F   E7   Am
      Am   D7   F   E7   Am

      Am   Dm
      Got the motor runnin', I got the rest of my days
      F   E
      Sold everything I owned for just a song
      Am   D
      So anytime you want me, you can come around
        F   E7   Am
      But don't leave it too late you might just find me gone

Chorus **A**　　　　　　　　　　　**Am**
Listen now to the wind babe, listen now to the rain
D/A　　　　　　　　　　　　**A**
Feel that water lickin' at my feet again
　Am7　　　**G/B**　　**C**
I don't wanna see this town no more
Dm　　　**C/E**　　　**F**　　　**G**　　**Am**　　**G/B**
Too many years made up my mind to go or stay
C　　　　　**D**　　**E7**
Right to my dying day
　Am　　　　**G/B**　　**C**　　**C/E**
I don't wanna see another engine line
Dm　　　**C**　　　　**F**
Too many years that I owe my mind
F7　　　　　　　　　**E7**　　　　　　**Am**
First set o' wheels headin' back Bow River again

Am　　　　　**G/B**　　　**C**　　　　　　**C/E**
I don't need the score, I'm goin' through the door
　　　　Dm　　**C/E**　　　**F**　　　**G**
Gonna tell the man I don't want no more
Am　　　**G/B**　　**C**　　　**D**　　　　**Am**
Pick up a fast car and burn my name in the road
Am　　　**G/B**　　**C**　　　　**C/E**
One week two week maybe even more
　Dm　　　**C/E**　　　**F**
I'll piss all my money up against the damn wall
F7　　　　　　　　　**E7**　　　　　　　　**Am**
First thing you know I'll be back in Bow River again
　F7　　　　　　　　　**E7**　　　　　　　　**Am**
The first thing you know I'll be back in Bow River again
　F7　　　　　　　　　**E7**　　　　　　　　**Am**
The first thing you know I'll be back in Bow River again

Boys And Girls

Words & Music A. Santilla, B. Dexter,
G. Campbell, L. Macklin and B. Dochstader
© Copyright Festival Music Pty. Limited. International
Copyright Secured. All Rights Reserved. Used by
Permission.

Intro   **Am E**

Vs 1   **Am**
And burn in blood all the sinners sons
                                E
Winners and grinners of an appropriate thought
Am
Hellfire spark from the teacher tongue
          E   D5 D#5
Sing along to the sailors song

Chorus **E   D**   **B**   **E**
Wo oh... 'cos you speak in tongue but the boys and girls aint dumb
      D   **B**   **Am**
Wo oh...coz you speak in tongue but the boys and girls ain't dumb
                E
I wanna see you in pink!

Vs 2   **Am**
Red rivers of love are gonna make you numb
                       E
Tip of your toe to your curly tongue
Am
And contemplate she lies awake
                        E D D#
He just dissolve and then he shatter then fold

Chorus **E   D**   **B**   **E**
Wo oh... 'cos you speak in tongue but the boys and girls aint dumb
        D   **B**   **E**
Wo oh... 'cos you speak in tongue but the boys and girls aint dumb
        D   **B**   **E**
Wo oh... 'cos you speak in tongue but the boys and girls aint dumb
        D   **B**   **E**
Wo oh...coz you speak in tongue but the boys and girls they're all right

Inst   **E5 B5 E5 B5 x2**
      E

Vs 3   **Am**
Red rivers of love are gonna make you numb
                       E
Tip of your toe to your curly tongue
Am
Hellfire spark from the teacher tongue
                  E
Sing along to the sailors song

Chorus **E   D**   **B**   **E**
Wo oh... 'cos you speak in tongue but the boys and girls aint dumb
        D   **B**   **E**
Wo oh... 'cos you speak in tongue but the boys and girls aint dumb
        D   **B**   **E**
Wo oh... 'cos you speak in tongue but the boys and girls aint dumb
        D   **B**   **E**
Wo oh...coz you speak in tongue but the boys and girls ...

Breakfast At Sweethearts

Words & Music Don Walker
© Copyright 1978 Rondor Music (Australia) Pty. Limited. International
Copyright Secured. All Rights Reserved. Used by Permission.

Intro   Am Em7 Am Em7 C Dm F G E/G#
        Am Em7 Am Em7 C Dm F G C Dm F G E/G#

Vs 1   **Am**   **Em7**
      Campbell Lane, and through the window, curtain rain
      Am   **Em7**
      Long night gone, yellow day, Speed shivers melt away

Chorus **C**   **Dm**
      Six o'clock I'm goin' down
      F   **G**
      The coffee's hot and the toast is brown
      C   **Dm**
      Hey streetsweeper, clear my way
      F   **G**   **E7** **Am**
      Sweethearts breakfast is the best in town
      Am   **G** **Dm**   **Dm7**
      Oh-oh-oh-oh, Breakfast at Sweethearts
      Am   **G** **Dm**   **Bb** **Esus4** **Am**
      Oh-oh-oh-oh, Breakfast at Sweethearts

Vs 2   **Am9** **Am**   **Em7**
          Hey, Anne-Maria, It's always good to see her
      Am   **Em7**
      She don't smile or flirt   She just wears that mini-skirt
      Am   **Em7**
      Drunks come in, paper bag, Brandivino
      Am   **Em7**
      Dreams fly away, as she pulls another cappucino

Chorus **C**   **Dm**
      Six o'clock I'm goin' down
      F   **G**
      The coffee's hot and the toast is brown
      C   **Dm**
      Hey streetsweeper, clear my way
      F   **G**   **E7** **Am**
      Sweethearts breakfast is the best in town
      Am   **G** **Dm**   **Dm7**
      Oh-oh-oh-oh, Breakfast at Sweethearts
      Am   **G** **Dm**   **Bb** **Esus4** **Am**
      Oh-oh-oh-oh, Breakfast at Sweethearts
      C   **Dm**
      Six o'clock I'm goin' down
      F   **G**
      The coffee's hot and the toast is brown
      C   **Dm**
      Hey streetsweeper, clear my way
      F   **G**   **E7** **Am**
      Sweethearts breakfast is the best in town
      Am   **G** **Dm**   **Dm7**
      Oh-oh-oh-oh, Breakfast at Sweethearts
      Am   **G** **Dm**   **Bb** **Esus4** **Am**
      Oh-oh-oh-oh, Breakfast at Sweethearts Yeah

Breathe in Now

Words & Music Katie Noonan
© Copyright Festival Music Pty. Limited.
International Copyright Secured. All Rights
Reserved. Used by Permission.

Vs 1   **N.C.**
I see love and beauty all around,

I also see the sadness that's embedded in your frown
          Bm   A   F#m
I wonder why you choose not to talk to those who surround,
A   Bm
I sense a fear of lifting heavy feet
Em6   Bm   F#m
Higher than you want to, I just want to believe your truth...

Vs 2   Bm   A   F#m
You stand there but you do not cast a shadow,
   A#dim   Bm   A   F#m
You walk away with every word you choose not to say
     A#dim   Bm   A   F#m   A
I suppose that moving on paints a new colour for each day, I don't like to see
   Bm   Em6   Bm   F#
Dreams put on the shelf, to deal with on that one day, I just want to be happy for you

Chorus   G   A   D   Bm
'Cause I only have one second, this minute today
G   A   G/B   F#m/C# D
I can't press rewind and turn it back and call it now
G   A   D   F#m/C# Bm
And so this moment, I just have to sing out loud,
   G   A   D Bm
And say I love I like and breathe in now,
   G   A   D
And say I love I live and breathe in now

Vs 2   Bm   A   F#m   A#dim   Bm
I move on holding on to what I learn, it's time to let go of the notion
   A   F#m
That the whole world's against me
     A#dim   Bm   A   F#m
Break free of shackles that formed young, time free in now
A   Bm   Em6
And now I know, it's not all up to me, I can count on another
Bm   F#
So move on lighter and be free ....

Chorus   G   A   D   Bm
'Cause I only have one second, this minute today
G   A   G/B   F#m/C# D
I can't press rewind and turn it back and call it now
G   A   D   F#m/C# Bm
And so this moment, I just have to sing out loud,
   G   A   D Bm
And say I love I like and breathe in now,
   G   A
And say I love I live and breathe

Bridge Bm   F#7   Bm   A   D
I believe in for today I just want to know that you're okay
F#7/C# Bm   F#7   Bm
Cause I believe in breathing just for today
              A   D F#7 G A D Bm G A D
I just want to know that you're okay....

'Cause I,

```
Chorus   G           A           D           Bm
            I only have one second, this minute today
         G           A           G/B         F#m/C#  Dmaj7  D
         I can't press rewind and turn it back and call it now        Hey
         G           A           D     F#m/C#  Bm
         And so this moment, I just have to sing out  loud,
           G           A           D  Bm
         And say I love I like and breathe in now,
           G           A           D  Bm
         And say I love I live and breathe in now
           G           A           Bm
         And say I love I live and breathe in now
```

Burn For You

Words & Music Michael Hutchence and Andrew Farriss
© Copyright Universal Music Publishing. International Copyright
Secured. All Rights Reserved. Used by Permission

Intro   G C/G G C/G A E D Dsus4

Vs 1   G
          It's no use pretending that I understand

          The hide and seek we play with facts, it changes on demand

Chorus A   E   D
          Take my hand at the start and the shadows they burn dark
          A   E   F#m   A B   D
          Love me and I'll burn for you and the love song never stops (don't stop it)

Vs 2   D
          I like the look in your eyes, when you talk that certain way
          A   G F Em D   Em F G
          I love the day in the life,   when you know that lover's way

Vs 3   G
          Minding my own business, when you came along

          Temperature's been running hot, The fever was so strong

Chorus A   E   D
          Take my hand at the start and the shadows they burn dark
          A   E   F#m   A B   D
          Love me and I'll burn for you and the love song never stops (don't stop it)

Vs 4   D
          It's always an adventure, the fantasies we make a fact
          A   G F Em D   Em F
          You're the secret I desire   I can't keep that to myself

Vs 5   G
          When we're not together, it doesn't feel so bad

          We could be so far apart, but our love's not sad

Inst   G Em Fadd2 C G Em Fadd2 C
          G Em Fadd2 C G Em Fadd2 C

Vs 5   G
          It's no use pretending, 'cause I understand

          The hide and seek we play with facts, it changes on demand

Inst   G

Buses And Trains

Words & Music James Roche
© Copyright 1998 Music Power/Sony/ATV
Tunes. International Copyright Secured. All
Rights Reserved. Used by Permission.

```
Vs 1        D  A/D              G
        Hey Mom, why didn't you tell me
            D              A/D              G
        Why didn't you teach me a thing or two
                  D       A/D    G
        You just let me go out into the World
              D              A/D         G
        You never thought to share what you knew

Chorus           G        A       A/D     D/G
        So I walked under a bus, I got hit by a train
            G         A              A/D     D/G
        Keep falling in love which is kinda the same
            G          A                A/D         D/G
        I've sunk out at sea crashed my car, gone insane
              Em7  A/C#        D/F#   G
        And it felt so good I want to do it again

Vs 2        D  A/D              G
        Hey Mom why didn't you warn me
                    D                  A/D        G
        'Cos about boys is something I should have known
                  D           A/D       G
        They're like chocolate cake, like cigarettes
                      D              A/D              G
        I know they're bad for me but I just can't leave 'em alone

Chorus           G        A       A/D     D/G
        So I walked under a bus, I got hit by a train
            G         A              A/D     D/G
        Keep falling in love which is kinda the same
            G          A                A/D         D/G
        I've sunk out at sea crashed my car, gone insane
              Em7  A/C#        D/F#   G
        And it felt so good I want to do it again

Bridge          Bm7   E7   Bm7   E7
        I wanna do it again,
                Bm7   E7    Bm7   E7
        I wanna do it again
        Bm7  E7      Bm7   E7  Bm7   E7   G   A
        Oh,     felt so good

Vs 3        D  A/D              G
        Hey Mom since we're talking
                  D        A/D       G
        What was it like when you were young
                D          A/D        G
        Has the world changed, or is it still the same
              Em7            A/C#        D/F#   G
        A man can kill and still be the sweetest fun

Chorus           G        A       A/D     D/G
        So I walked under a bus, I got hit by a train
            G         A              A/D     D/G
        Keep falling in love which is kinda the same
            G          A                A/D         D/G
        I've sunk out at sea crashed my car, gone insane
              Em7  A/C#        D/F#   G
        And it felt so good I want to do it again
        (repeat chorus)
```

Buy Me A Pony

Words & Music Spiderbait
© Copyright Sony/ATV Music Publishing. International
Copyright Secured. All Rights Reserved. Used by Permission

Intro   D

Vs 1   D   F   C   D   F C   D   F   C
Don't you wanna be, a personality an ocean in the sea
        G   D   G   D
But you'll never make it, if you can't shake it
       G   D   G   D
So don't mistake it just try and fake it
        D   F   C   D   F   C   D   F   C
And I want you to know, you don't have far to go, so we'll use all your dough
        G   D   G   D
To buy new clothes and see what flows
        G   D   G   D
And powder your nose for those photos
            D   F   C   D   F C   D   F   C
You're almost on your way to popularity and we'll teach you to play
          G D   G   D
With icy stare and punk rock hair
        G   D   G   D
And beatnik flair we'll take you there

Chorus   D   Bb   C   G
'Coz there's nobody else like you
          D   Bb   C   G
And we sure care just what you're doing
D   Bb   C   G   F
After we have gone our separate ways
Bb   G   C
Hey yeah, yeah

Vs 2   D   F   C   D   F C   D   F C
So don't you want to be, a big time entity, your place in history
          G   D   G   D
But don't be scared of what we said
          G   D   G   D
'Cause there's no end to being your friend
          D   F   C   D   F   C   D   F   C
But wait out in the hall, we've just received a call. We'll have to dump you all
          G   D G   D
But don't you try to pass us by
          G   D   G   D
'Coz we own you until we're through

Chorus   D   Bb   C   G
And there's so many round like you
            D   Bb   C   G
And we don't care just what you're doing
D   Bb   C   G   F
After we have gone our separate ways
Bb   G   C   D
Hey yeah, yeah hey!

Calypso

Words & Music Spiderbait
© Copyright Sony/ATV Music Publishing. International
Copyright Secured. All Rights Reserved. Used by Permission

Intro   A D E D A D A D E D

Vs 1   A   D E D   A   D E D
Sunshine on my window
          A D E D   A   D E D
Makes me happy,   like I should be
A   C D E A   C D E
Outside,   all around me
         A C D   E   A G# F# E
Really sleazy,   then it hits me

Chorus D   E A
Don't tell me
       D   E   A
You can't see
       D   E   A
What it means to me
       D E
Me me

Vs 2   A   D E D   A   D E D
Meanwhile,   in the moonlight
           A D E D A D E D
Purple people, unforseeable
A C D E   A   C D E
Lonely,   as they may be
          A C D E   A G# F# E
They'll be peachy,   then it hits me
D   E A
Don't tell me
D   E   A
You can't see
D   E   A
What it means to me
D E A D E D A D E D
Me me me

Vs 3   A   D E D   A   D E D
Sunshine on my window
          A D E D A   D E D
Makes me happy,   like I should be
A C D E A   C D E
Outside,   all around me
         A C D E   A G# F# E
Really sleazy,   then it hits me

Chorus D   E A
Don't tell me
       D   E   A
You can't see
       D   E   A
What it means to me
       D E
Me me
       D   E A
Don't tell me
       D   E   A
You can't see
       D   E   A
What it means to me
       D   E A
Me me me

Capricorn Dancer

Words & Music Richard Clapton
© Copyright 1976 Festival Music Pty. Limited.
International Copyright Secured. All Rights
Reserved. Used by Permission

Vs 1   E
Gypsies ride through wonderland
Emaj7
I took my horse down to the sand
Amaj7   Am
Underneath a thousand miles of sky
E
I watched the waves come tumblin' down
Emaj7
And heard so many different sounds
Amaj7   Am
Cleared my head and eased my worried mind

Chorus E
Capricorn dancer
F#m
I'm ridin' to shelter
F#m7b5
Show me a sign
                E   B7sus4   B
Lead me on to the tropical zone

Vs 2   E
Diamonds scattered out to sea
Emaj7
The sun keeps laughin' down on me
Amaj7   Am
This crazy horse is tryin' to chase the wind
E
Watch the waves come tumblin' down
Emaj7
Hearin' all those different sounds
Amaj7   Am
Just clears my head and ease my worried mind

Chorus E
Capricorn dancer
F#m
I'm ridin' to shelter
F#m7b5
Show me a sign
                E
Lead me on to the tropical zone

Outro   Bm7   C#m7
Doo doo doo doo oo
              Bm7   C#m7
Doo doo doo doo oo
              Bm7   A
Doo doo doo doo oo
         E   F#m
Ah, see the water flow
        E
Woh-oh-woh-oh-oh
        F#m   E
Can you see that water flow
F#m7   F#m7b5
Ah-lah-lah-lah-lah-lah
       E
Woh-oh-oh-oh

The Captain

Words & Music Kasey Chambers
© Copyright 2001 Gibbon Music Publishing. Administered
by Sony Music Publishing. International Copyright
Secured. All Rights Reserved. Used by Permission.

Vs 1
           B   F#
Well I don't have as many friends because, I'm not as pretty as I was
  G#m   E
I've kicked myself at times because I've lied
        B   F#
So I will have to learn to stand my ground, I'll tell 'em I won't be around
  G#m   E
I'll move on over to your town and hide

Chorus
       B   F#
And you be the captain, and I'll be no-one
         G#m   E
And you can carry me away if you want to
       B   F#
And you can lay low, just like your father
    G#m   E
And if I tread upon your feet you just say so
         B   F#   E
'cos you're the captain, I am no-one, I tend feel as though I owe one to you
  B F# G#m E
To you

Vs 2
           B   F#
Well I have handed all my efforts in, I searched here for my second wind
  G#m   E
Is there somewhere here to let me in I asked
   B   F#
So I slammed the doors they slammed at me, I found the place I'm meant to be
  G#m   E
I figured out my destiny at last

Chorus
       B   F#
And you be the captain, and I'll be no-one
         G#m   E
And you can carry me away if you want to
       B   F#
And you can lay low, just like your father
    G#m   E
And if I tread upon your feet you just say so
         B   F#   E
'cos you're the captain, I am no-one, I tend feel as though I owe one to you
  B
To you

Bridge D#m   E   F#   B
Did I forget to thank you for the ride
  F#/A#   G#m   F#   E
I hadn't tried   I tend to runaway and hide

Chorus
       B   F#
And you be the captain, and I'll be no-one
         G#m   E
And you can carry me away if you want to
       B   F#
And you can lay low, just like your father
    G#m   E
And if I tread upon your feet you just say so
         B   F#   E
'cos you're the captain, I am no-one, I tend feel as though I owe one to you

(repeat chorus)

Carry On

Words & Music Patrick Robertson,
David Ong, Damian Costin and Matthew Balfe
© Copyright Mushroom Music. International Copyright Secured.
All Rights Reserved. Used by Permission.

Intro: Fm Eb Ab Db Fm Eb Ab Eb/G
      Fm Eb Ab Db Fm Eb Ab Eb/G

Vs 1 Fm   Ab   Cm
Looking for a single thread,
         Db   Eb   Db   Eb
A melody to help me get by, while we're passing the time.
  Fm   Ab   Cm
Is it real? Does it give too much away?
         Db   Eb   Db   Eb
Is pouring out my heart 'til you come back a reason to stay,
   Db   Eb
Do you know? Is this way home? Is this way...

Chorus Fm   Eb   Ab   Db
We just stare while the wheels fall off,
    Fm   Eb   Ab   Eb/G
But everyone seems to carry on, carry on
    Fm   Eb   Ab   Db
No time to tell ya how much we lost,
    Fm   Eb   Ab   Eb/G
'Cos everyone needs to carry on, carry on.

    Fm Ab Cm Db Eb Db Eb

Vs 2 Fm   Ab   Cm
Looking for some words to say,
          Db   Eb   Db   Eb
There's no familiar faces round here, but the feeling's the same
  Fm   Ab   Cm
Is it real? Does it give to much away?
         Db   Eb   Db   Eb
Is pouring out my heart till you come back a reason to stay,
   Db   Eb
Do you know? Is this way home? Is this way...

Chorus Fm   Eb   Ab   Db
We just stare while the wheels fall off,
    Fm   Eb   Ab   Eb/G
But everyone seems to carry on, carry on
    Fm   Eb   Ab   Db
No time to tell ya how much we lost,
    Fm   Eb   Ab   Eb/G
'Cos everyone needs to carry on, carry on.

Bridge Fm Eb   Db   Eb
(Carry On)   Carry on, carry on.
    Fm Eb   Db   Eb
(Carry On)   Carry on, carry on.
    Fm Eb   Db   Eb
(Carry On)   Carry on, carry on.
    Fm Eb   Db   Eb   Fm Ab Cm
Everyone needs to carry on, carry on

   Db   Eb   Db   Eb Fm Ab Cm
The places you know, the friends that you owe.
Db   Eb   Db   Eb
Somewhere to go. Does it pay to be alone?
   Db   Eb   Db   Eb
Will I fall? Is this way home? Is this way home? Is this way home?

Chorus **Fm   Eb   Ab   Db**
      We just stare while the wheels fall off,
        Fm   Eb   Ab   Eb/G
      But everyone seems to carry on, carry on
        Fm   Eb   Ab   Db
      No time to tell ya how much we lost,
        Fm   Eb   Ab   Eb/G
      'Cos everyone needs to carry on, carry on.

Outro **Fm Eb   Db   Eb**
      (Carry On)   Carry on, carry on.
      Fm Eb   Db   Eb
      (Carry On)   Carry on, carry on.
      Fm Eb   Db   Eb
      (Carry On)
      Fm Eb   Db   Eb
      Everyone needs to carry on, carry on
      Fm Eb   Db Eb
      (Carry On) It's the way I feel.
      Fm Eb   Db   Eb
      (Carry On) Speak up when you know that it's real.
      Fm Eb   Db   Eb
      (Carry On) It seems like it's taking you over.
      Fm Eb   Db   Eb
      (Carry On) There's nothing in this world I can't show ya.
      Fm Eb Db Eb
      (Carry On)

      (repeat and fade)

Cash

Words & Music J. Laffer, D. Wootton, M. Wootton, P. Otway and J. Grigor
© Copyright Festival Music Pty. Limited. International Copyright Secured.
All Rights Reserved. Used by Permission

Intro   Bbm Db Eb Bbm Db Eb Ab Bbm
         Bbm Db Eb Bbm Db Eb Ab Bbm
         Bbm Db Eb Bbm Db Eb Ab Bbm
         Bbm Db Eb Bbm Db Eb Ab Bbm

Vs 1   Bbm   Db Eb Bbm Db   Eb Ab Bbm
       Honey, you're aging slow,   you're just like a face I know
       Bbm   Db Eb Bbm Db   Eb Ab Bbm   Db Eb
       Who took his own life in a fire   to warm his hands, to feel it right

       Bbm Db Eb Bbm Db Eb Ab Bbm

Vs 2   Bbm   Db Eb Bbm   Db   Eb Ab   Bbm
       It's only rain on your track, they only cry when they want you back
       Bbm   Db Eb   Bbm Db   Eb Ab Bbm   Eb F
       And if you try don't pretend,   you take the easy way out again

Chorus Fm Db   Eb   Fm   Db   Eb
       Don't say you tried, You're all over the roadside
       Fm   Db Eb
       With the sun in your eyes

       Bbm Db Eb Bbm Db Eb Ab Bbm
       Bbm Db Eb Bbm Db Eb Ab Bbm

Vs 2   Bbm   Db Ab   Bbm   Db   Ab
       He seemed fine driving over, He finally cleared it from his mind
       Bbm Db Ab   Bbm   Db   Ab
       It's unkind funny how the people gathered around you fall like flies

Chorus Fm Db   Eb   Fm   Db   Eb
       Don't say you tried, You're all over the roadside
       Fm   Db Eb
       With the sun in your eyes

          Bb/D   Db   Ab   Eb
       Don't pray in your own time, don't pray in your own time

Vs 3   Bbm Db   Ab   Bbm   Db   Ab
       Don't be sad, it's all arranged, you're packed again, we won't be far behind
       Bbm   Db Ab   Bbm   Db   Ab Db
       No need to hide, come right out and say it, It's your own lie, it ain't mine

Chorus Fm Db   Eb   Fm   Db   Eb
       Don't say you tried, You're all over the roadside
       Fm   Db   Eb
       With a smile in your eyes

       Bb/D   Db   Ab   Eb
       Don't pray in your own time, don't pray in your own time

Outro Fm   Db   Eb
      Oooh ooh ooh ooh ooh ooh ooh ooh
       Fm   Db   Eb
      Oooh ooh ooh ooh ooh ooh ooh ooh ooh
      (repeat and fade)

Cathy's Clown

Words & Music T. Rogers, A. Kent and R. Hopkinson
© Copyright Universal Music Publishing. International Copyright
Secured. All Rights Reserved. Used by Permission

Intro   E D F#m B E D F#m B

```
Vs 1        E        D        F#m   B      E  D  F#m   B
        The weightlifter and a library tech you know
        E          D   F#m      B       E  D  F#m   B
        Made a big decision in the magazine row
            E        D        F#m      B      E  D  F#m   B
        I'll open my catalogue just enough to let you in
            N.C.                       E  D  F#m   B
        And she'll drop beers like you drop vitamins
```

```
Chorus  G                         E
        Did you ever never wanna let somebody down?
        G                              F#m              B
        Was you ever thinking that you'd be Cathy's clown now she's around
```

```
            E        D        F#m        B       E  D  F#m   B
        The protein pills and the g-strings you left in her flat
            E        D   F#m        B       E  D  F#m   B
        Are just enough to get your dewey decimal back
        E        D     F#m          B           E  D  F#m   B
        Lift her to work, before your daily workout begins
            N.C                      E  D  F#m   B
        And she'll stack up like you stack vitamins
```

```
Chorus  G                         E
        Did you ever never wanna let somebody down?
        G                              F#m              B
        Was you ever thinking that you'd be Cathy's clown now she's around
```

```
Outro   E   D   F#m   F   E   D   F#m   F
        E   D   F#m   F   E   D   F#m   F
        E   D   F#m   F   E   D   F#m   F
        E   D   F#m   F   E   D   F#m   F   Emaj7
```

Catch My Disease

Words & Music Ben Lee & McGowan Southworth
© Copyright 2005 Millennium Buggery
Music/McGowan Music/BMG Music Publishing
Australia Pty. Limited. International Copyright
Secured. All Rights Reserved. Used by Permission

B C#m E F# B C#m E F#

Vs 1   B   C#m   E   F#
My head is a box full of nothing   and that's the way I like it
B   C#m   E   F#
My garden's a secret compartment and that's the way I like it,

And that's the way I like it
B   C#m   E   F#
Your body's a dream that turns violent and that's the way I like it

And that's the way I like it
B   C#m   E   F#
The winter is long in the city and that's the way I like it

Chorus   B C#m E F#   B C#m E F#
So please, baby   please
               B C#m E F#   B C#m E F#
Open your heart,   and catch my disease

Vs 2   B   C#m   E   F#
I was backstage in Pomona and that's the way I like it
B   C#m   E   F#
She drank beer with coca-cola and that's the way I like it

And that's the way I like it
B   C#m   E   F#
She told me about the winds from Santa Anna and that's the way I like it

And that's the way I like it
B   C#m   E   F#
She told me she loved me like fireworks and that's the way I like it

Chorus   B C#m E F#   B C#m E F#
So please,   baby please
              B C#m E F#   B C#m E F#
Open your heart,   and catch my disease
        B C#m E F#   B C#m E F#
So please,   baby please
             B C#m E F#   B C#m E F#
Come on   and catch my disease   Catch it

Break B C#m E   F# B C#m E F#
         Na na na na na na na na na

```
Vs3     B               C#m             E                   F#
        They play Good Charlotte on the radio and that's the way I like it
        B               C#m             E                   F#
        They play Sleepy Jackson on the radio and that's the way I like it

        And that's the way I like it
        B       C#m             E               F#
        I hear Beyonce on the radio and that's the way I like it

        Cos that's the way I like it
        B               C#m             E                   F#
        And they don't play me on the radio and that's the way I like it

Chorus  B C#m E F#      B C#m  E F#
        So please,      baby please
                B C#m E F#              B  C#m  E  F#
        Open your heart,    and catch my disease
        B  C#m E F#     B  C#m E F#
        So please,      baby please
            B  C#m E  F#            B  C#m  E  F#
        Come on         and catch my disease


                B               C#m             E     F#
        (catch my disease) na na na na na na na na na
                B               C#m             E     F#
        (catch my disease) na na na na na na na na na na
                B               C#m             E     F#
        (catch my disease) na na na na na na na na na
                B               C#m             E     F#
        (catch my disease) na na na na na na na na na
        B7
        na na na na na na na na na
        na na na na na na na na na
        na na na na na na na na na
```

Cattle And Cane

Words & Music R. Forster and G. McLennan
© Copyright Festival Music Pty. Limited/obo Complete
Music Ltd. International Copyright Secured. All Rights
Reserved. Used by Permission

Intro   A6 D Bm A G/D A6 D Bm A G/D

Vs 1   A6 D Bm   A   G/D
I recall a schoolboy coming home
A6   D   Bm   A   G/D
Through fields of cane to a house of tin and timber
    A6 D   Bm   A   G/D
And in the sky, a rain of falling cinders
     Bm   A   G
From time to time, the waste memory - wastes

A6 D Bm A G/D A6 D Bm A G/D

Vs 2   A6 D   Bm   A   G/D
I recall a boy in bigger pants
     A6 D   Bm   A   G/D
Like everyone , just waiting for a chance
     A6   D   Bm A   G/D
His father's watch, he left it in the showers
     Bm   A   G
From time to time, the waste memory - waste

And the waste, memory - waste

     A6   D   Bm   A   G/D
Deh deh deh deh, deh deh deh deh deh deh x 4

Vs 3   A6 D   Bm   A   G/D
I recall a bigger brighter world
     A6   D   Bm A   G/D
A world of books, and silent times in thought
     A6   D   Bm   A   G/D
And then the railroad, the railroad takes him home
      A6   D   Bm   A   G/D
Through fields of cattle, through fields of cane
     Bm   A   G
From time to time, the waste memory -wastes

And the waste memory -wastes

A6 D Bm A G/D A6 D Bm A G/D x 6

A6 D Bm A G/D
(Spoken Freely) I recall the same, a reply
A6 D Bm A G/D
It was a plan that you once had, from time down to mine
A6 D Bm A G/D
That time was bad, so I knew where I was
A6 D Bm A G/D A6 D Bm A G/D A6 D Bm A G/D
Alone, and so at home

     A6   D   Bm   A   G/D
Deh deh deh deh, deh deh deh deh deh deh x 2

A6 D Bm A G/D
Further,
A6 D Bm A G/D
Longer,
A6 D Bm A G/D
Higher,
A6 D Bm A G/D
Older
(repeat and fade)

Chained To The Wheel

Intro   A E A E A

Vs 1   A
Know what you really need, but you can't get enough
                                   E
Too many mouths to feed, well ain't life tough
                        A
Call this survival, don't pray for a sign

Vs 2   A
Know what you really want, you can't get it back
                            E
Down on the waterfront, now watch out Jack
                      A
Nights on the main line and rust on the rail

Chorus D   G   D G D   G   D G
I see them swindle this town, I've seen them tumble it down
       A   E   A   E   A   E   A   E
I've seen red rivers, fire and steel, I feel the thunder chained to the wheel

Intro   A E A E A
Vs 3   A
Know what you mean to me, goes deeper than that
                           E
Can't fight your destiny, know where it's at
                    A
Don't look for lightning or pray for a sign

Chorus D   G   D G D   G   D G
I see them swindle this town, I've seen them tumble it down
       A   E   A   E   A   E   A   E
I heard the legend, I watched the skies , I feel the power, the flame in your eyes
       A   E   A   E   A   E   A   E
I've seen red rivers, fire and steel, I feel the thunder chained to the wheel

Bridge D   F G
Wheel
            D   F G
Chained to the Wheel
               A E A E A
Chained to the Wheel

    A
Know what you really need, you can't get enough
                              E
Too many mouths to feed, ain't life tough
                      A
Call this survival, don't pray for a sign

Chorus D   G   D G D   G   D G
I see them swindle this town, I've seen them tumble it down
       A   E   A   E   A   E   A   E
I've seen red rivers, fire and steel, I feel the thunder chained to the wheel
       A   E   A   E   A   E   A   E
I heard the legend, I watched the skies , I feel the power, the flame in your eyes
       A   E   A   E   A   E   A   E
I've seen red rivers, fire and steel, I feel the thunder chained to the wheel

Outro D   F G   D   F G
Wheel   Chained to the Wheel   Chained to the ...
(repeat and fade)

Chemical Heart

Words & Music P. Davern and P. Jamieson
© Copyright Shock Music Publishing. International
Copyright Secured. All Rights Reserved. Used by
Permission.

Intro   D C G D C G

Vs 1   D   C   G   D
        When look for a ride and you need to get high my friend
             C   G   D
        Spend all your time just a walkin' around instead
             C   G   D   C   G
        Like black rose its somebody to hold for them for them, for them

D C G

Vs 2   D   C   G   D
        Lets go outside havin' nothin' to hide for free
             C   G   D
        Can't seem to see the forest from the trees
             C   G   D   C G
        Grass is always greener but how do you know we'll see, we'll see

Chorus Dsus2   D   F G   D
        Can't get started,   Chemical Heart
        Dsus2 D   F   G   D
        Every time I get started, you pull me apart
        Dsus2   D   F G   D
        Can't get started,   Chemical Heart
        Dsus2 D   F   G   D D C G D C G
        Every time I get started, you pull me apart,

Vs 3   D   C   G   D
        Forgotten, maybe things are right on the other side undone
             C   G   D
        Better off wishin' for the stars to kill the sun
             C   G   D C G
        Like packed rows that nobody can hold no one no one

Chorus Dsus2   D   F G   D
        Can't get started,   Chemical Heart
        Dsus2 D   F   G   D
        Every time I get started, you pull me apart
        Dsus2   D   F G   D
        Can't get started,   Chemical Heart
        Dsus2 D   F   G   D   F E
        Every time I get started, you pull me apart, Yeah

Inst   D   Dmaj7/C# D7/C Bm D Dmaj7/C# D7/C Bm
        D   Dmaj7/C# D7/C Bm F E

Vs 4   D   C   G   D
        When look for a ride and you need to get high my friend
             C   G   D
        Spend all your time just a walkin' around instead
             C   G   D   C   G
        Like black rose its somebody to hold for them for them, for them

Chorus Dsus2   D   F G   D
        Can't get started,   Chemical Heart
        Dsus2 D   F   G   D
        Every time I get started, you pull me apart
        Dsus2   D   F G   D
        Can't get started,   Chemical Heart
        Dsus2 D   F   G   D
        Every time I get started, you pull me apart, x2

Ending F E D

Choir Girl

Words & Music Don Walker
© Copyright 1979 Rondor Music (Australia) Pty. Limited. International
Copyright Secured. All Rights Reserved. Used by Permission

Vs1
```
C                 Am      Dm7          C
Lookin like a choir girl, she's cryin like a refugee
C                 Am      Dm7          C
Lookin like a choir girl, she's cryin like a refugee

Dm  Am7        G
One nurse to hold her
Dm  Am7      Dm7      G7          Em
One nurse to wheel her down the corridors of healing
                Am
For I've been tryin'
    G7          C
she's cryin like a refugee
```

Vs 2
```
C                 Am      Dm7              C
Loves me like a sister  She loves me like an only child
C                 Am      Dm7              C
Loves me like a sister  She loves me like an only child

Dm   Am       G
she's my connection    yeah
Dm    Am    Dm7      G        Em
I'll hold on and never never never let her down
              Am
'cause she's alone
    G7                  C
She loves me like an only child
```

Bridge
```
Dm7
Suffer little children

Suffer little children
Am7
send a little child to me

send a little child to me
Gm7
All day the doctor, All day the doctor
G                      G7
He handles his responsibility
```

Vs 3
```
C                 Am      Dm7          C
Lookin like a choir girl, she's cryin like a refugee
C                 Am      Dm7          C
Lookin like a choir girl, she's cryin like a refugee

Dm   Am        G
she's my connection    yeah
Dm    Am    Dm7      G        Em
I'll hold on and never never never let her down
              Am
'cause she's alone
       G7          C
And she's cryin' like a refugee
```

Vs 4
```
C                 Am      Dm7          C
Lookin like a choir girl, she's cryin like a refugee
C                 Am      Dm7          C
Lookin like a choir girl, she's cryin like a refugee,  Yes she is.
```

Cigarettes
Will Kill You

Words & Music Ben Lee
© Copyright 1998 Millennium Buggery Music/BMG Music Publishing
Australia Pty. Limited. International Copyright Secured. All Rights
Reserved. Used by Permission

Eb   Bb   Cm   Ab   Eb   Bb   Cm   Ab   Eb   Bb   Cm   Ab

Vs 1   Cm   Eb   Ab
You fry me in a pan, you cook me in a can, you stretch me with your hands
Cm   Eb   Ab
You love to watch me bake, you serve me up with cake and that's your big mistake
Cm   Eb   Ab   F7
Your guest comes in dressed smart, you offer a la carte, you didn't have the heart

Chorus   Eb Bb   Cm   Ab
And I   want a T.V. embrace
       Eb Bb   Cm   Ab
And I,   I'm getting off your boiling plate
Eb   Db   Cm   Ab
They swore you'd steal my steam to feed your dream, and then be gone
      Ab   Eb Bb Cm Ab Eb Bb Cm Ab
I wish I could say that everyone was wrong

Vs 2   Cm   Eb   Ab
You left me burned and seared, you left me ripped and teared and older than my years
Cm   Eb   Ab
I should have know at first, that you would leave me hurt, you had to try dessert
Cm   Eb   Ab   F7
No way to let off steam, don't bother milk or cream, no way to let off steam

Chorus   Eb Bb   Cm   Ab
And I   want a T.V. embrace
       Eb Bb   Cm   Ab
And I,   I'm getting off your boiling plate
Eb   Db   Cm   Ab
They swore you'd steal my steam to feed your dream, and then be gone
      Ab   Eb
I wish I could say that everyone was wrong

Bridge   Db   Eb
It must feel good to stand above me while I make you so proud of me
      Ab   Bb
It must feel good that I'm now gone
      Eb   Db   Ab Bb   Eb
I wish I could say that everyone was wrong
Outro   Db   Ab   Bb Eb
I wish everyone was wrong
           Db   Ab   Bb Eb
I wish everyone was wrong
           Db   Ab   Bb Eb
I wish everyone was wrong
           Db   Ab   Bb Eb
I wish everyone was wrong
Repeat and fade

Cold Hard Bitch

```
Intro   A  D  A  G  A   D  A  D  A   D  A

Vs 1    A                      G  D  A
        Gotta leave town, got another appointment
        A                         G   D  A
        Spent all my rent , girl you know I enjoyed it, Yeah!
              D
        Ain't gonna hang around till there's nobody dancing
             E                    G                        D
        I don't wanna hold hands and talk about our little plans, alright!

Chorus  A                    G
        Cold hard bitch, just a kiss on the lips
               D                F     G
        And I was on my knees, I'm waiting, give me
        A                    G
        Cold hard bitch, she was shakin' her hips
                  D            A  D  A  D  A
        Oh that was all that I need

Vs 2    A                           G  D  A
        Gonna check her out, she's my latest attraction
        A                          G  D  A
        Gonna hang around, wanna get a reaction, yeah!
        D
        Gonna take her home cause she's over romancing
             E                 G                    D
        Don't wanna hold hands and talk about her plans alright!

Chorus  A                    G
        Cold hard bitch, just a kiss on the lips
               D                F     G
        And I was on my knees, I'm waiting, give me
        A                    G
        Cold hard bitch, she was shakin' her hips
                  D            F     G
        Oh that was all that I need, I'm waiting give me
        A                    G
        Cold hard bitch, just a kiss on the lips
                     D        A  G  D  A  G  D  A  G  D  A  G  D
        And I was on my knees

Bridge  A       G   D
        Yeah I'm waiting
        A       G   D
        Yeah I'm waiting
        A       G   D
        Yeah I'm waiting
        A       G   D  A
        Yeah I'm waiting      Ow!

Chorus  A                    G
        Cold hard bitch, just a kiss on the lips
               D                F     G
        And I was on my knees, I'm waiting, give me
        A                    G
        Cold hard bitch, she was shakin' her hips
               D                F     G
        Oh that was all that I need, I'm waiting give me
        A                    G
        Cold hard bitch, just a kiss on the lips
               D                F     G
        And I was on my knees, I'm waiting, give me
```

Words & Music Ross Wilson
© Copyright 1971 Cool Music Pty. Limited. Administered by
Mushroom Music Pty. Ltd for The World. International Copyright
Secured. All Rights Reserved. Used by Permission

Come Back Again

Vs 1
Bb   Bb7
I'm mopin' around streets late at night
              Bb
I'm worried because you ain't treatin' me right
Eb   Ab   Eb6   Bb
Come back again, I'm just crazy 'bout you babe

Vs 2
Bb   Bb7
I spoke to your mum and I spoke to your dad
              Bb
They said I was crazy, made me feel sad
Eb   Ab   Eb6   Bb
Come back again, I'm just crazy 'bout you babe

Vs 3
Bb   Bb7
Feelin' so sad, so lonely too
                    Bb
You don't know how it is to feel sad and lonely an' blue
Eb   Ab   Eb6   Bb
Come back again, I'm just crazy 'bout you babe

Vs 4
Bb   Bb7
I spoke to your dad and I spoke to your mum
              Bb
They said go away boy and leave us alone
Eb   Ab   Eb6   Bb
Come back again, I'm just crazy 'bout you babe

Vs 5
Bb   Bb7
I really don't know what to do
            Bb
Everything you say just make me feel blue
Eb   Ab   Eb6   Bb
Come back again, I'm just crazy 'bout you babe e

Vs 6
Bb   Bb7
I went to the dance, but I went all alone
              Bb
I watched you dancin' then I followed you home
Eb   Ab   Eb6   Bb
Come back again, I'm just crazy 'bout you babe

Vs 7
Bb   Bb7
I'm mopin' around streets late at night
              Bb
Worried because you ain't treatin' me right
Eb   Ab   Eb6   Bb
Come back again, I'm just crazy 'bout you babe e

Vs 8
Bb   Bb7
I really don't know what to do
            Bb
Everything you say just make me feel blue
Eb   Ab   Eb6   Bb
Come back again, I'm just crazy 'bout you babe
Eb   Ab   Eb6   Bb
Come back again, I'm just crazy 'bout you babe
Eb   Ab   Eb6   Bb
Come back again, I'm just crazy 'bout you babe

Come Said The Boy

Words & Music Eric McCusker
© Copyright 1983 Marble Music Publishing Pty.
Limited. International Copyright Secured. All
Rights Reserved. Used by Permission

Vs 1
        D/A   Dm/A
It was a party night, it was the end of school
Dm6/A   Fmaj9/A
He's head was feelin' light, first time
Am   D/A   Dm/A
She seemed much older then, she had turned seventeen
Dm6/A   Fmaj9/A Am
And she knew some older men, the first time

Chorus
        F   Am
Come said the boy, let's go down to the sand
               F   Am
Let's do what we wanna do, let me be a man for you
F   Am
Oh-woh-woh-oh, oh-woh-woh-oh
F   Am
Oh-woh-woh-oh, oh-woh-who, and she said

Vs 2
Dm7   Em7
Well I've been waitin' for a long time
Dm7   Em7
And you've changed a lot
Dm7
Up till now it's been the wrong time
Em7   Dm7
To know whether to come here or not

Chorus
                     F   Am
Oh, but now come with me boy, just take my hand
                    F   Am
I'll let you see what you wanna see, come on, be a man for me
      Dm7   Em7
We've both been waitin' for a long time
Dm7   Em7
We've both changed a lot
    Dm7   Em7
Up till now it seemed the wrong time

To know whether to come here or not

Chorus
       F   Am
Oh but come said the boy, let's go down to the sand
                 F   Am
Let's do what we wanna do, let me be a man for you
                      F   Am
She said come with me boy, just take my hand
                    F   Am
I'll let you see what you wanna see, come on be my man for me

Outro F   Am
Oh-woh-woh-oh, oh-woh-woh-oh
F   Am
Oh-woh-woh-oh, oh-woh-who-oh,
(repeat and fade)

Come To Nothing

Words & Music J. Hume & P. Hume
© Copyright 2004 Rough Cut Music.
International Copyright Secured. All Rights
Reserved. Used by Permission.

Vs 1   D   B D#m   D   B   D#m
You Leave the TV on,   to fill the empty air
D   B   D#m   D   B   D#m
Loneliness sinks in,   like ink into my skin
D   B   D#m   D   B   D#m
I should have seen it all,   the climb before the fall
D   B   D#m   D   B   D#m
I held to what we shared, but now it's disappeared...

Chorus D#m B F#sus4   F#
By now, I guess you don't need me anymore
D#m B F#sus4   F#
By now, I guess you don't need me anymore
D#m B F#sus4   F#
Alright, you know, you don't fool me anymore
D#m B   F#sus4   F# D#m
Tonight, you're burning another fire

       F#   D#m   B   F#
Now we've run out of time, out of luck, out of everything
       D#m   F#   B   D#m
Now you're gone, gone to find what you need, what I don't provide
   F#   B   D#m
And if it comes down, between win or lose
   F#   B   D#m
If it comes down, you know I'd have to choose

Chorus D#m B F#sus4   F#
By now, I guess you don't need me anymore
D#m B F#sus4   F#
By now, I guess you don't need me anymore
D#m B F#sus4   F#
Alright, you know, you don't fool me anymore
D#m B   F#sus4   F# D#m
Tonight, you're burning another fire

D#m B F#   G#m
My life   has come to nothing
D#m   B F# G#m
My dreams   has come to nothing
D#m   B F#   G#m
Our love   has come to nothing...
D#m B   F# G#m
    Come to nothing,
        D#m B   F# G#m
It's come to nothing woah   x4
D#m   B F#   G#m
By now, I guess you don't need me anymore
D#m B F#   G#m
    I guess you don't need me

D B D#m D B D#m
(repeat and fade)

Come To This

Words & Music Luke Steele
© Copyright Sony/ATV Music Publishing. International Copyright
Secured. All Rights Reserved. Used by Permission.

Intro   F# F#sus2 F# F#sus2 F# F#sus 2 F# F#sus2
        F# F#sus2 F# F#sus2

Vs 1   D#m
       Keep you mouth green,
                A#m
       Let the lord list we put to silence,
       B   F#
       Lord I don't know, how it has come to this.
             D#m
       Keep your mind clean
                A#m
       Let the lord list we put to silence,
       B   F#
       Lord I don't know, how it has come to this.

Chorus C#   B
       Girl, it's a long time, when you're running
       C#   B
       girl, it's a long time, when you're running

       C# B C# B

Vs 2   D#m
       Keep your mouth clean,
                  A#m
       Let the lord list we put to silence,
       B   F#
       Lord I don't know, how it has come to this.
             D#m
       I don't know, I didn't try with you,
             A#m
       Now the moon is bleeding dry,
       B   F#
       The sun is weepy eyed, how did it come to this.

Chorus C#   B
       Girl, it's a long time, when you're running
       C#   B
       Girl, it's a long time, when you're running
         C#   D#m
       Oh Girl, it's a long time without loving
       C#   B
       Girl, it's a long time when you're running

Solo   F# D#m A#m B D#m C# B C# B

Chorus C#   B
       Girl, it's a long time, when you're running
       C#   B
       Girl, it's a long time, when you're running
       C#   D#m
       Girl, it's a long time without loving
       C#   B
       Girl, it's a long time when you're running

Crave

Words & Music Boge, Esmond, Hall & Goedhart
© Copyright 2003 Rough Cut Music. International Copyright Secured. All Rights
Reserved. Used by Permission

Intro   Cm Csus2 Cm Csus2 Cm Csus2 Cm Csus2 Cm

V1   C5 Ab5 C5 Ab5 C5 Bb5 F#5
                   C5 Ab5 C5 Ab5 C5 Bb5 F#5 F5
When you crave
              C5 Ab5 C5 Ab5 C5 Bb5 F#5 F5
Hurts like slave
              C5 Ab5 C5 Ab5 C5 Bb5 F#5 F5
More the pain
    Ab   Bb   Cm Csus2 Csus4
Hold on when it feels like I only want you
      Ab   Bb   Cm Csus2 Cm
And I'll bleed only for you

    Cm Csus2 Cm Csus2 Cm Csus2 Cm Csus2 Cm

Vs 2   C5 Ab5 C5 Ab5 C5 Bb5 F#5
                   C5 Ab5 C5 Ab5 C5 Bb5 F#5 F5
When you lie
              C5 Ab5 C5 Ab5 C5 Bb5 F#5 F5
Damaged I
              C5 Ab5 C5 Ab5 C5 Bb5 F#5 F5
Crawl like flies
    Ab   Bb   Cm   Csus2 Csus4
Hold on, when it feels like flies, Crawling their way through
    Ab   Bb   Cm   Csus2 Cm
Me cause I'm empty, I'm empty like you made
    Ab   Bb   Cm   Csus2   Csus4
Me, when it burns like lies and all I want is you won't
    Ab   Bb   Cm   Csus2   Cm
I but it hates me, it hates me like you hate me

    Abmaj7 Bb Cm   Abmaj7 Bb Cm
                Yeah you do, Crave
    Abmaj7 Bb Cm Abmaj7 Bb Cm x2

Vs 3   Cm Ab Cm   Bb
    Love me, always and forever
    Cm   Ab   Bb   Cm
    It's hard to be strong when I crave you like I do
        Ab   Bb
    Hold on, When it feels like
    Cm
    I'm only waiting you want me
    Ab   Bb   Cm
    Down but I'm empty, I'm empty like you made
    Ab   Bb   Cm
    Me, When it burns like lies and all I want is you won't I
        Ab   Bb   Cm
    But it hates me, it hates me like you
    Ab   Cm
    Like you
     Ab   Cm
    I crave you
    Ab   Cm
    Like you
     Ab   Cm
    I crave you

Cry

Words and Music Thomas and Palmer
© Copyright Mushroom Music Publishing Pty. Limited / Festival Music Publishing.
International Copyright Secured. All Rights Reserved. Used by Permission

```
Vs 1        A           F#m       A              F#m
      You've got me on a high, I'm falling through the sky
            D                                   E
      The summer's here so I, could leave winter and fly
            A           F#m       A              F#m
      But what we gonna do? You leave at half past two
            Bm                                  E
      We wasted time today, I guess it has to be that way
            D      Bm      D      A
      That I can make you cry
      D        Bm
      I can make you...
```

```
Chorus A  C#  D
       Cry
       A  C#  D
       Cry
```

```
Vs 2        A           F#m       A           F#m
      You looked into my eyes, you came as a surprise
            D                                   E
      You washed me in the shower, it lasted for an hour
            A           F#m       A              F#m
      But what we gonna do? You leave at half past two
            Bm                                  E
      We waste more time each day, and everything's O.K.
            D      Bm      D      A
      Except that I can make you cry
      D        Bm
      I can make you...
```

```
Chorus A              C#              D
       Cry (but I really don't want to, all the trouble I've gone to)
       A              C#              D
       Cry (but you make it so easy, and it's driving me crazy)
       A              C#              D
       Cry (but I really don't want to, all the trouble I've gone to)
       A              C#              D
       Cry (but you make it so easy,  and it's driving me crazy)

       A
       Do do do do do do do do

       do do do do do do

       Do do do do do do do do

       do do do do do do do do

            Bm                                        Esus4
       The summer's here again and it would change but when?
            D      Bm      D      A
       Cos I can make you cry
       D        Bm
       I can make you...
```

```
Chorus A              C#              D
       Cry (but I really don't want to, all the trouble I've gone to)
       A              C#              D
       Cry (but you make it so easy,  and it's driving me crazy)
       Bm
       Do do do do do do do do
                      Bm9   D   A
       do do do do do do
```

Creepin' Up Slowly

Words & Music Jason Singh, Tim Watson, Dow Brain, Bradley Young, Tim Wild
© Copyright Mushroom Music Pty. Limited/BMG Music Publishing. International Copyright Secured. All Rights Reserved. Used by Permission

Vs 1   Bm D   G   A   Bm D G A
Let's kick on back to the places we know
Bm   D   G   A   Bm D G A
The path isn't set, yet your life is on show
         D   G
Saw you running in circles, got a bug in your head
      Bm   A
Feeling needles and pins, get them outta my head
    D   G
Take a chance on a rumour, heard from a friend
    Bm   A
That something is gonna change

Chorus D   G   D   G   D   G   D G
Yeah, It's creepin' up slowly, she's taken me over, it's turning me on
D   G   D   G   Bm   A   D
With every breath that I take, I roll up my dreams, and blow them away

Vs 2   Bm   D G   A   Bm D G A
Cruising on Blue Street, my worries are freed
Bm   D   G   A   Bm   D G A
Stressed out and in doubt, I know exactly what you need
       D   G
Got your life wrapped up, in the palm of your hand
    Bm   A
Try to feel what I feel, but you can't understand
      D   G
No you won't be satisfied 'til you see
    Bm   A
That something is gonna change

Chorus D   G   D   G   D   G   D G
Yeah, It's creepin' up slowly, she's taken me over, it's turning me on
D   G   D   G   Bm   A   D D7
With every breath that I take, I roll up my dreams, and blow them away

Bridge G   Bb   D   D7
Rip it up and turn the page, Slip through the cracks in the stage

And you will find me there
G   Bb   D
Look past the nose upon your face that you're gonna change

        D   G
Saw you movin' in slowly, caught a glint in your eye
  Bm   A
A moment's hesitation keeps you wondering why
      D   G
And you won't be satisfied 'til you see
    Bm   A
This meeting of the minds inside of me

Chorus D   G   D   G   D   G   D G
Yeah, It's creepin' up slowly, she's taken me over, it's turning me on
D   G   D   G   Bm   A   D
With every breath that I take, I roll up my dreams, and blow them away
D   G   D   G   D   G   D G
    It's creepin' up slowly, she's taken me over, it's turning me on
D   G   D   G   Bm   A   D
With every breath that I take, I roll up my dreams, and blow them away

Outro
```
         D                        G
    Saw you running in circles, got a bug in your head
          Bm                       A
    Feeling needles and pins, get them outta my head
         D                   G
    Take a chance on a rumour, heard from a friend
          Bm          A
    That something is gonna change
    D       G           Bm  A
    Rip it up and turn the page,
    D               G         Bm        A
    Look past the nose on your face if you're gonna change
          D    G           Bm  A
    Rip it up and turn the page,
    D               G          Bm       A      D/F#  G
    Look past the nose, it's on your face and it's gonna change

    Bm  A  D  G
    (Repeat and Fade)
```

Damage

Words & Music Tim Rogers
© Copyright Festival Music Pty. Limited. International Copyright
Secured. All Rights Reserved. Used by Permission

Intro   Cm Cm+ Cm6 Cm+ Cm Cm+ Cm6 Cm+

Vs 1
```
        Cm        Cm/D      Ab/Eb   Fm
I woke up with the war in my head
               G7sus4        G7
An old man's grumble, and an extra space in the bed
Cm    Cm/Bb   Ab/Eb                    G7sus4
And if ole' John Prine, could sing the next line
       G7
 About something that can make me smile
Fm                    Bb7
I'm gonna have to be content to
        G                   Cm          Cm/B
Stare at your baby photos till it makes some sense
Fm                    Bb7
And were you ever mine, anyway?
       G/D
Speak up as I drop away
```

Chorus
```
       C                    Fmaj7
I wrote down what I think on the head of a matchstick
       C              Fmaj7
Wrote it all short and sweet, all that made sense to me
Am                    D7
Burn six thousand miles, sorry for all the times
Fmaj7
I just can't add up all the sums, to find the damage we done
```

   Cm Cm+ Cm6 Cm+ Cm Cm+ Cm6 Cm+

Vs 2
```
           Cm       Cm/D     Ab/Eb  Fm
I fought for you like a doll from a tree ,
                   G7sus4    G7
I keep a straight stiched face, as the ground makes a bed for me
    Cm   Cm/Bb  Ab/Eb      G7sus4       G7
I keep my      eye where I fell        it sends no replies
        Fm7              Bb7
You can run so long from sadness
           G7                   Cm    Cm/B
That you're never at home for the fun
   Fm                      Bb7
I can't make excuses for the short-hand abuses
        G7/D
Thank god it ain't a Sunday night
```

Chorus
```
       C                    Fmaj7
I wrote down what I think on the head of a matchstick
       C                    Fmaj7
I Wrote it all short and sweet, all that made sense to me
Am                    D7
Burn six thousand miles, sorry for all the times
Fmaj7
I just can't add up the sums, to find the damage
    C                    Fmaj7
I wrote down what I think on the head of a matchstick
       C                    Fmaj7
Wrote it all short and sweet, all that made sense to me
Am                         D7
Burn it out in the light, and I'm sorry for all the times
Fmaj7
I just can't see how it comes, the damage we done
Cm   Cm+   Cm6   Cm+
                    The damage we done    x4 ad lib then end on Cm
```

Darling It Hurts

Words & Music Steve Connolly & Paul Kelly
© Copyright Universal Music/Mushroom Music Pty. Limited
for The World. International Copyright Secured. All Rights
Reserved. Used by Permission

Vs 1   E

I see you standing on the corner with your dress so high, with your dress so high
                                     B

And all the cars slow down as they see you driving by, they go driving by

E

Thought you said you had some place to go
     A7

What you doing up here putting it all on show?

   E   B   E

Darling it hurts to see you down Darlinghurst tonight

Vs 2   E

Do you remember Darling how we laughed and cried, how we lauged and cried
                                     B

We said we'd be together till the day we died, till the day we died
     E

How could something so good turn so bad?
     A7

I'd do it all again 'cause you're the best I've ever had

   E   B   E

Darling it hurts to see you down Darlinghurst tonight

Vs 3   E

See that man with the glad hands

I want to kill him but it wouldn't be right

Now here comes another man with the gladbags
                                 B

I want to break him but it's not my fight
E

In one hand and out the other
     A7

Baby I don't even know why you bother

   E   B   E

Darling it hurts to see you down Darlinghurst tonight
   E   B   E

Darling it hurts to see you down Darlinghurst tonight

The Day You Come

Words & Music Middleton, Coghill,
Haug, Collins & Fanning
© Copyright Festival Music Pty. Limited.
International Copyright Secured. All Rights
Reserved. Used by Permission

Vs 1   Em
Memories are fading,

A single voice complaining
D/E
Days are stacking up
         Em
It's hardly worth debating,

The people are frustrated
D/E
Drink from poison cup
         Em
The system is collapsing,

Conscience is relapsing
      D
The damage has been done

Chorus Em   D   F#m   G
On the day you come rising   up
     Em   D   F#m   G
On the day you come rising   up

Vs 2   Em
Vision is rejected, The people's choice is tested
D/E
Ignorance has won
         Em
Children are infected, Remedy suggested
D/E
Don't drink from tainted cup
         Em
Overpopulation, a media sensation
      D
The damage has been done

Em   D   F#m   G
On the day you come rising   up
Em   D   F#m   G
On the day you come rising   up

Inst   Em   D   F#m   G
        Em   D   F#m   G

Chorus Em   D   F#m   G
On the day you come rising   up
     Em   D   F#m   G
On the day you come rising   up
(repeat and fade)

The Day You Went Away

Words & Music Jonathon Male
© Copyright 1991 Momentum
Music/Polygram Music. International
Copyright Secured. All Rights Reserved.
Used by Permission.

```
Vs 1    E                                           C#m
        Hey, does it ever make you wonder what's on my mind
        E                                   C#m
        I, I was only ever running to your side
        A       B       G#m7            A
        I never cried, I just watched my life go by
                        B               G#m         A
        It's just a pack of lies, 'cause you're leaving me behind

Vs 2    E                                           C#m
        Why, after this long is there nothing I'll keep,
                E                               C#m
        Oh, I can shout, you'll pretend you're falling asleep
        A       B       G#m7            A
        I live a lie, yeah, believing that you're mine
                        B               G#m         A
        It's just a waste of time 'cause you're leaving me behind

Chorus  E                   B/D#        C#m
        Hey, there's not a cloud in the sky
                E/B                 B/D#
        It's as blue as your goodbye
                        C#m     B       A
        And I thought it would rain on a day like today
        E                   B/D#    C#m
        Hey, there's not a cloud in sight
                E/B                     B/D#
        It's as blue as your blue goodbye
                        C#m     B           A
        And I thought it would rain the day you went away

Inst.   E  B/D#  C#m  E/B  B/D#  C#m  B  A

Vs 3    E                                           C#m
        Hey, does it ever make you wonder what's on my mind
        E                               C#m
        I was only ever running back to your side

Chorus  E                   B/D#        C#m
        Hey, there's not a cloud in the sky
                E/B                 B/D#
        It's as blue as your goodbye
                        C#m     B       A
        And I thought it would rain on a day like today
        E                   B/D#    C#m
        Hey, there's not a cloud in sight
                E/B                     B/D#
        It's as blue as your blue goodbye
                        C#m     B           A
        And I thought it would rain the day you went away

        E           B/D#            C#m     B/D#  E  B/D#
        He's on the buses, and the aeroplanes
                    C#m             B           A
        With some groceries and a sleeping bag....
```

Death Defy

Words & Music Patrick Robertson,
David Ong, Damian Costin and Matthew Balfe
© Copyright Mushroom Music. International Copyright Secured. All
Rights Reserved. Used by Permission.

Intro   F#add#11 Bb Bb/Eb Db Ab/C Bb Bb/Eb Db Ab/C

Vs 1
```
        Bb        Eb        Dbadd9    Ab/C      Bb        Eb     Dbadd9
Starting to get my head in your space, starting to lose track of the weekdays
Ab/C      Bb      Eb      Dbadd9    Ab/C      Bb  Eb  Dbadd9
Starting to cook my brain in five ways, trying to be cool
Ab/C      Bb      Eb      Dbadd9  Ab/C       Bb      Eb     Dbadd9
Starting to lose my inhibitions,    starting to make some bad decisions
Ab/C        Bb      Eb      Dbadd9  Ab/C         Bb  Eb  Dbadd9  Ab/C
I'm listening to all your crap opinions,   trying to be cool
Bb    Gb    F    Bb  Gb    F
Don't take me over, just take me there.
```

Chorus
```
      Bb                Gm        Eb
Like I planned, It's gone as far as I could go.
      Bb              Gm        Eb
And now the feeling's starting to take hold.
        Bb                    Gm          Eb
But I'll death defy to make you cry, find out what you know
            F        Gm      Eb
Could you please death defy with me too?
```

Bb Bb/Eb Db Cm Bb Bb/Eb Db Cm

Vs 1
```
          Bb  Eb      Dbadd9  Ab/C     Bb     Eb    Dbadd9
Starting to tune into your station,   starting to lose my obligation
    Ab/C      Bb      Eb  Dbadd9  Ab/C      Bb  Eb  Dbadd9
I'm talking in tongues, a celebration of  trying to be cool.
Ab/C      Bb      Eb      Dbadd9  Ab/C      Bb      Eb     Dbadd9
Starting to get my head in your space, starting to lose track of the weekdays
Ab/C        Bb      Eb      Dbadd9  Ab/C      Bb  Eb  Dbadd9  Ab/C
Starting to cook my brain in five ways,   trying to be cool
Bb    Gb    F    Bb  Gb    F
Don't take me over, just take me there.
```

Chorus
```
      Bb                Gm        Eb
Like I planned, It's gone as far as I could go.
      Bb              Gm        Eb
And now the feeling's starting to take hold.
        Bb                    Gm          Eb
But I'll death defy to make you cry, find out what you know
            Bb/F        Gm      Eb
Would you please death defy with me too?
            Bb/F        Gm      Eb
Would you please death defy with me too?
```

Solo   Bb Eb Ab Eb Bb Eb Ab Eb x3

```
Bb    Gb    F    Bb  Gb    F
Don't take me over, just take me there.
```

Chorus
```
      Bb                Gm        Eb
Like I planned, It's gone as far as I could go.
      Bb              Gm        Eb
And now the feeling's starting to take hold.
        Bb                    Gm          Eb
But I'll death defy to make you cry, find out what you know
            Bb/F        Gm      Eb
Would you please death defy with me too?
            Bb/F        Gm      Eb
Would you please death defy with me too?
            Bb/F        Gm      Eb
Would you please, would you please, would you please?
```

Deep Water

Words & Music Richard Clapton
© Copyright 1976 Festival Music Pty. Limited. International
Copyright Secured. All Rights Reserved. Used by Permission

C#m7 G#m Bm7 F#m7   C#m7 G#m   Bm7 F#m7

E7   D   E7   D

Vs 1
A   D   A   D
We used to go down to the beach at night, fire flies danc'in in the promonade lights,
Bm   E
Ah those rock and roll bands used to really swing,
A   D
And I'd do the foxtrot with sweet Cristine,
C#m   Bm7   C#m   Bm
Speaking to me with her gentle hands, fly on down to wonderland.

Chorus
A   E   D   E   D
Deep water I'm caught up in it's flow, if I'm in over my head I'd be the last to know,
              A   D   A
Deep water,   Deep water

C#m7 G#m Bm7 F#m7 E7 D E7 D

Vs 2
A   D   A   D
They closed down the doors to the Trocadero. and I came back lookin' just like a ghost,
Bm   E   A   D
posters are scattered all over the stairs, nobody reads them, so no body cares,
C#m   Bm7   C#m   Bm
cats all retire when they reach twenty-one, really just ain't my idea of fun,

Chorus
A   E   D   E   D
Deep water I'm caught up in it's flow, if I'm in over my head I'd be the last to know,
              A   D   A
Deep water,   Deep water

Inst
C#m7 G#m Bm7 F#m7 E7 D E7 D E7 D
A G A G A G A G   D E7 D E7 D E7 D

Bridge
Amaj7   A+9
Sittin' out on the Palm Beach road, I'm so drunk and the car won't go,
D/A   Ddim/A   A
My crazy eyes keep looking out to sea,
Amaj7   A+9
Sunday drivers are crusin' round, wish they all go back to town,
D   E   A   D
What do they expect to find, sure as hell ain't peace of mind

A   E   D   E   D
Deep water I'm caught up in it's flow, if I'm in over my head I'd be the last to know,
        A   D   A   D
Deep water,   Deep water

Outro
A   D   A   D
Deep water,   Deep water
        A   D   A   D
Deep water,   Deep water

(repeat and fade)

Deeper Water

Intro   C   G   C   G

Vs 1   C   G
      I feel myself I'm flying
        C   G
      You look so good in a mirror
        C   G
      Oh I'd sell my soul for a record
         C   G
      Yeah of all we've said and done

Chorus D   C   G
      I'm heading out where the water is much deeper
      D   C   Am
      I save myself I'm saving you
      D   C   G
      I'm heading out I'm going there and I'm gonna make it
      D   C G/B Am   C   G
      I save myself I'm saving you   Woo ooh ooh ooh ooh ooh ohh

Vs 2   C   G
      I went along for a good time
        C   G
      But you look so good in a spotlight
        C   G
      Hey I'd walk hot coals in a moment
        C   G
      Just to have you all to myself

Chorus D   C   G
      I'm heading out where the water is much deeper
      D   C   Am
      I save myself I'm saving you
      D   C   G
      I'm heading out I'm going there and I'm gonna make it
      D   C G/B Am
      I save myself I'm saving you   Woo ooh ooh ooh ooh ooh ohh

Inst   G   C G   C G
      yeah..   yeah
      A   C   A   C   G
      I'm heading out.. I'm heading out..

Vs 3   C   G
      I feel myself I'm flying
        C   G
      You look so good in a mirror
        C   G
      Oh I'd sell my soul for a record
         C   G
      Yeah of all we've said and done

Chorus D   C   G
      I'm heading out where the water is much deeper
      D   C   Am
      I save myself I'm saving you
      D   C   G
      I'm heading out I'm going there and I'm gonna make it
      D   C G/B Am
      I save myself I'm saving you   Woo ooh ooh ooh ooh ooh ohh

Dirty Deeds, Done Dirt Cheap

Words & Music Bon Scott, Malcolm Young
& Angus Young
© Copyright 1976 J. Albert & Son Pty. Limited.
International Copyright Secured. All Rights Reserved.
Used by Permission.

Vs 1 E
If you're havin' trouble with your high school head, he's givin' you the blues
You wanna graduate but not in his bed, here's what you gotta do -
Pick up the phone, I'm always home, call me any time
Just ring 36 24 36 hey, I lead a life of crime

Chorus A G A   A   G A
Dirty Deeds Done Dirt Cheap
E D E   E   D E
Dirty Deeds Done Dirt Cheap
A G A   A   G A
Dirty Deeds Done Dirt Cheap
E
Dirty Deeds and they're Done Dirt Cheap

Vs 2 E
You got problems in your life of love, you got a broken heart
He's double dealin' with your best friend, that's when the teardrops start -
Pick up the phone, I'm here alone, or make a social call
Come right in, forget about him, we'll have ourselves a ball

Chorus A G A   A   G A
Dirty Deeds Done Dirt Cheap
E D E   E   D E
Dirty Deeds Done Dirt Cheap
A G A   A   G A
Dirty Deeds Done Dirt Cheap
E
Dirty Deeds and they're Done Dirt Cheap

Vs 3 E
If you got a lady and you want her gone, but you ain't got the guts
She keeps naggin' at you night and day, enough to drive you nuts -
Pick up the phone, leave her alone, it's time you made a stand
For a fee, I'm happy to be, your back door man

Chorus A G A   A   G A
Dirty Deeds Done Dirt Cheap
E D E   E   D E
Dirty Deeds Done Dirt Cheap
A G A   A   G A
Dirty Deeds Done Dirt Cheap
E
Dirty Deeds and they're Done Dirt Cheap
E   G E
Dirty Deeds
A   E   D
Concrete shoes, cyanide, TNT
E   A E
Done Dirt Cheap
E   G E
Dirty Deeds
A   E   D
Neckties, contracts, high voltage
E   A E
Done Dirt Cheap

Dirty Hearts

Words & Music Dallas Crane
© Copyright J. Albert & Son Pty. Limited. International Copyright
Secured. All Rights Reserved. Used by Permission.

```
Intro    G  D  G  D  G  D  G  D
         G  D  G  D  G  D  G  D
         G  D  G  D  G  D  G  D
         A  D
```

```
Vs 1     D
         Little darlin', do you want me to sing you a song

         Or little darlin' do you want me to leave you alone
         F#m                      G                      D
         You got your head in your hands and I don't know why
         F#m                G                 D
         Is that your dirty heart Is that your dirty heart
```

```
         D  G  D  G  D  G  D  G  A
```

```
Vs 2     D
         The sky's turning little darling, a storm's on the way

         Nobody's gonna hear you cry at the end of the day
          F#m                     G                      D
         The rains are comin to wash down the filth and the grime
         F#m           G
         Off the dirty hearts, off the dirty
```

```
Solo     D  G  D  G  D
         A  G  D  A  G  D  G  D  G  D  G  D  G  D
```

```
         D
         So little darlin', do you want me to sing you a song

         Do you want me to sing you a song

         Do you want me to sing you a song
              D/F#          G          D
         Do you want me to sing you a song
```

Doctor Doctor

Words & Music D. Sanders, R. Nassif, B. Campbell and Z. Trivic
© Copyright Festival Music Pty. Limited. International Copyright
Secured. All Rights Reserved. Used by Permission

Intro   B C G B C G B C G B C G

```
Chorus B        C          G
       Doctor, doctor help me
       B        C          G
       Doctor, doctor help me
       B        C          G
       Try to, try to help me
       B        C          G
       Doctor, doctor help me
```

```
Vs 1   C                               G
       Welcome back to the Sunday before you cut me
       C                    F             G
       Thinking back to the Monday you tried to blame me
       Bb               F                    C
       Looking back I remember your revenge attacked me
       Bb               F                   G
       Rush of blood to the head of your line that crossed me
```

Bm C G Bm C G Bm C G Bm C G

```
Vs 2   N.C.
       Looking out, taking cover in case you saw me

       From the top, taking note of the notes you wrote me
       Bb               F                    C
       Looking back I remember your attention drew me
       Bb               C              G
       Hear me out, double cross - just cross me
```

```
       B        C          G
       Doctor, doctor help me (help me)
       B        C          G
       Doctor, doctor help me (when will I see?)
       B        C          G
       Try to, try to help me (help me)
       B        C          G
       Doctor, doctor help me (when will I see?)
```

C G C G Am Em Am Em F Am F Am
C G C G Am Em Am G C

```
       C                               G
       Hope you die for the misery that you gave me
       C                    F          G
       Hope you die, hope you die - love from me
```

```
       B        C          G
       Doctor, doctor help me (help me)
       B        C          G
       Doctor, doctor help me (when will I see?)
       B        C          G
       Try to, try to help me (help me)
       B        C          G
       Doctor, doctor help me
```

Dirty Jeans

Words & Music Adalita Srsen, Adam Robertson,
Dean Turner and Raul Sanchez
© Copyright Mushroom Music. International Copyright Secured. All
Rights Reserved. Used by Permission

Vs
```
F       C         Bb              F
You're an ordinary boy and that's the way I like it
        C                 Bb                    F
On the train in the corner with a mind-numbing headache
C                 Bb
Went out last night, with only one life
F            C              Bb
Had to let you know that you're beautiful
                 F
And you make me go
C                 Bb
Even if you're takin' there's no moves I'm makin'
F                 C
My legs are achin', my eyes are sore
Bb                F          C
I haven't washed my jeans, in three months or more
```

Vs 2
```
Bb                  F           C
You're an ordinary boy and that's the way I like it
        Bb                F
On the train in the corner with a mind-numbing headache
C                 Bb
Went out last night, with only one life
F            C              Bb
Had to let you know that you're beautiful
                 F
And you make me go
C                 Bb
Even if you're takin' there's no moves I'm makin'
F            C
My legs are achin', my eyes are sore
Bb                      F
I haven't washed my jeans, in three months or more
```

Vs 3
```
C       Bb        F           C
You're an ordinary boy and that's the way I like it
Bb                F
On the train in the corner with a mind-numbing headache
C                 Bb
Went out last night, with only one life
F            C              Bb
Had to let you know that you're beautiful
                 F
And you make me go
C                 Bb
Even if you're takin' there's no moves I'm makin'
F                 C
My legs are achin', my eyes are sore
Bb                      F
I haven't washed my jeans, in three months or more
C  Bb  F     C
   That's way I like it
C  Bb  F     C
   That's way I like it
C  Bb  F     C
   That's way I like it
```

Vs 4 C   Bb   F   C
    You're an ordinary boy and that's the way I like it
    Bb   F
    On the train in the corner with a mind-numbing headache
    C   Bb
    Went out last night, with only one life
    F   C   Bb
    Had to let you know that you're beautiful
            F
    And you make me go
    C   Bb
    Even if you're takin' there's no moves I'm makin'
    F   C
    My legs are achin', my eyes are sore
    Bb   F
    I haven't washed my jeans, in three months or more

Vs 5 C   Bb   F   C
    You're an ordinary boy and that's the way I like it
    Bb   F
    On the train in the corner with a mind-numbing headache
    C   Bb
    Went out last night, with only one life
    F   C   Bb
    Had to let you know that you're beautiful
            F
    And you make me go
    C   Bb
    Even if you're takin' there's no moves I'm makin'
    F   C
    My legs are achin', my eyes are sore
    Bb   F
    I haven't washed my jeans, in three months or more

Vs 6 C   Bb   F   C
    You're an ordinary boy and that's the way I like it
    Bb   F
    On the train in the corner with a mind-numbing headache
    C   Bb
    Went out last night, with only one life
    F   C   Bb
    Had to let you know that you're beautiful
            F
    And you make me go
    C Bb F   C
       That's way I like it
    Bb C F

Do-Do's And Whoa-Oh's

Words Darren Cordeux.
Music Cordeux, Ammitzboll, Thomas & Vanderuit
© Copyright 2005 Rough Cut Music. International Copyright
Secured. All Rights Reserved. Used by Permission.

Intro   G   D   G   D   G   D   G   D

```
Vs 1    G         D             G            D
        This is a toast to all the people listening.
        G         D             G       Em
        I hope it gets stuck in your head.
        G              D         G          D
        So tap your feet, and click, click, click your fingers.
        G         D             Em   D
        Lets make the rest of the world care.

        G    A  Bm        D/F#  G    A   Bm      D/F#
        I want a song that gets attention, this is the way it goes.
        G    A  Bm    D/F#  G   A      Bm       D/F#
        So if you'll play it on your station, do-do's and whoa-oh's.
        G  D  G  D       G  D  G  D
             Whoa-oh!
Vs 2    G         D            G          D
        So hit the lights and turn the record up now.
        G         D            Em
        I hope you hear this in your sleep.
        G          D      G        D
        Stand off the typical I'll miss you baby.
        G          D      G     Em   D
        Who would of thought we were so deep.

Chorus  G    A  Bm        D/F#  G    A      Bm        D/F#
        I want a song that gets attention, this is the way it goes.
        G    A  Bm    D/F#  G   A      Bm        D/F#
        So hip you'll play it on your station, do-do's and whoa-oh's
        G    A  Bm        D/F#  G    A      Bm        D/F#
        We grab a drink and kill our brain cells, Sing all the words we know.
        G    A      Bm      D/F#  G    A      Bm       D/F#
        We're bringin back the lovers music, Do-Do's and whoa-oh's.

        G A Bm  D/F# G A Bm  D/F#
        G  D      G  D      G  D       G  D
           Whoa-oh,   whoa-oh,   whoa-oh.

        G  D  G  D  G  D  G  D

Chorus  G    A  Bm        D/F#  G    A      Bm        D/F#
        I want a song that gets attention, this is the way it goes.
        G    A  Bm    D/F#  G   A      Bm        D/F#
        So hip you'll play it on your station, do-do's and whoa-oh's
        G    A  Bm        D/F#  G    A      Bm        D/F#
        We grab a drink and kill our brain cells, Sing all the words we know.
        G    A      Bm      D/F#  G    A      Bm       D/F#
        We're bringin back the lovers music, Do-Do's and whoa-oh's.

        G  D      G  D      G  D       G  D
           Whoa-oh,   whoa-oh,   whoa-oh.    Whoo!

        G  D  G  D  G  D  G  D  G  Bm
```

Do It With Madonna

Words & Music Tim Henwood & Cameron McKenzie
© Copyright 2002 Festival Music Pty. Limited/Mushroom
Music Publishing Pty. Limited. International Copyright
Secured. All Rights Reserved. Used by Permission

Vs 1
```
                            G
You know Christina's got the body, she really likes to spin and twirl
                            C      Bb                          G
But when she's flirting with the camera, you know she's just a little girl
                        G
Now Pink is cute but still a baby, and she talks with attitude
                            C  Bb                  G
She has some spunk for a young lady, but what I really like to do
```

Chorus
```
       N.C.         G    G/F  Em        G/D              C
I'd rather do it with Madonna,      she's what a woman's supposed to be
Bb                   G
Oh Madonna, won't you do it with me
```

Vs 2
```
       N.C.                  G
When Britney sings, it sounds amazing, I like her belly and her butt
                        C     Bb                          G
But how would you like to be with her, she's always hanging with her mum
```

Chorus
```
                    G    G/F  Em        G/D              C
I'd rather do it with Madonna,      she's what a woman's supposed to be
Bb                   G
Oh Madonna, do it with me
                    G    G/F     Em        G/D
I'd rather do it with Madonna, she's really got me on my  knees
         C        Bb            G
The only girl I'll ever need, Madonna, do it with me
G
Ooh Madonna, ooh, ooh Madonna
```

```
                        G
I'd really like to be with Kylie, I think she's really, really hot
                    C  Bb                      G
I wonder if I could get Kylie to wanna do it with Madonna
```

Chorus
```
                    G7   Gsus4  G                  G7
I'd rather do it with Madonna,      she's really got me on my knees
C/G                  G
Oh Madonna, won't you do it with me
                    G    G/F  Em        G/D              C
I'd rather do it with Madonna,      she's what a woman's supposed to be
Bb              G
Oh Madonna, come and do it with me
                    G    G/F  Em        G/D
I'd rather do it with Madonna, she's really got me ,
C               Bb                  G
Have you seen that film clip where she's wearing the cowboy hat,

and she's kicking the dirt?

G  G/F      Em   G/D      C  Bb  G
Ooh Madonna, ooh Madonna, ooh Madonna, ooh Madonna,
(Repeat and fade finish)
```

Don't Change

Words & Music INXS
© Copyright Universal Music Publishing. International Copyright Secured. All Rights Reserved. Used by Permission

Intro   A

Vs 1   A   E/G#
I'm standing here on the ground,
F#m
The sky above won't fall down
Bm   D   A
See no evil in all direction
A   E/G#
Resolution of happiness,
F#m
Things have been dark for too long
Bm   D   Bm   D   A
Don't change for you, don't change a thing for me
Bm   D   Bm   D   A
Don't change for you, don't change a thing for me

Vs 2   A   E/G#
I found a love I had lost
F#m
It was gone for too long
Bm   D   A
Hear no evil in all directions
A   E/G#
Execution of bitterness
F#m
Message received loud and clear
Bm   D   Bm   D   A
Don't change for you, don't change a thing for me
Bm   D   Bm   D   A
Don't change for you, don't change a thing for me

Vs 3   A   E/G#
I'm standing here on the ground,
F#m
The sky above won't fall down
Bm   D   A
See no evil in all direction
A   E/G#
Resolution of happiness,
F#m
Things have been dark for too long
Bm   D   Bm   D   A
Don't change for you, don't change a thing for me
Bm   D   Bm   D   A
Don't change for you, don't change a thing for me
Bm   D   Bm   D   A
Don't change for you, don't change a thing for me
F#m   E(add4)   D5   A5
Don't Change

Don't Dream It's Over

Vs 1 D   Bm
There is freedom within, there is freedom without
G   F#
Try to catch the deluge in a paper cup
D   Bm
There's a battle ahead, many battles are lost
G   F#
But you'll never see the end of the road, when you're traveling with me

Chorus G   A   Dmaj7 Bm
Hey now, hey now, don't dream it's over
G   A   Dmaj7 Bm7
Hey now, hey now, when the world comes in
G   A   Dmaj7   Bm
They come, they come, to build a wall between us
G   G A
We know they won't win

Vs 2 D   Bm
Now I'm towing my car, there's a hole in the roof
G   F#
My possessions are causing me suspicion but there's no proof
D   Bm
In the paper today, tales of war and of waste
G   F#
But you turn right over to the T.V. page

Chorus G   A   Dmaj7 Bm
Hey now, hey now, don't dream it's over
G   A   Dmaj7 Bm7
Hey now, hey now, when the world comes in
G   A   Dmaj7   Bm
They come, they come, to build a wall between us
G   G A
We know they won't win

Inst D Bm G F# D Bm G F#

G D G D G D C7

Vs3 D   Bm
Now I'm walking again to the beat of a drum
G   F#
And I'm counting the steps to the door of your heart
D   Bm
Only shadows ahead barely clearing the roof
G   F#
Get to know the feeling of liberation and relief

Chorus G   A   Dmaj7 Bm
Hey now, hey now, don't dream it's over
G   A   Dmaj7 Bm7
Hey now, hey now, when the world comes in
G   A   Dmaj7   Bm
They come, they come, to build a wall between us
G   G A
We know they won't win

Coda G   A   D Bm G   A   D Bm
Hey Now, Hey Now   Hey Now, Hey Now (repeat to fade)

Don't Go Now

Words & Music Simon Day & R. St. Clare
© Copyright Moo Chewns/Universal
Music/Copyright Control. International Copyright
Secured. All Rights Reserved. Used by Permission

Vs 1
```
              G                 C
Well I've been looking around for some kind of feeling
Am            D
Some kind of sensation
G      C      Am        D G
And you know I can feel it all inside
       C
I don't care where you've been
   Am        D              G
And I don't care to see what you've seen
        C          Am          D
Don't you know I will be dying to be by your side
```

Chorus
```
        G  C G  C      G  C D
Don't Go Now     Don't Go Now
        G  C G  C      G  C D  Dsus  D  Dsus4
Don't Go Now     Don't Go Now
```

Vs 2
```
              G                C
Well you can have my heart and have my soul
Am            D
Without you I feel cold
G      C            Am              D
Won't you come with me and I will make you happy
G          C
And then when I'm alone
   Am           D
I'll dream of you till the day is done
G      C          Am          D
Don't you know I will be dying to be by your side
```

Chorus
```
        G  C G  C      G  C D
Don't Go Now     Don't Go Now
        G  C G  C      G  C D  Dsus  D  Dsus4
Don't Go Now     Don't Go Now
```

Inst
```
G   C  Am  D  G   C  Am  D
G   C  Am  D  G   C  Am  D  C  G/B  Am
G  C  G  C  G  C  D
G  C  G  C  G  C  D  Dsus4  D  Dsus4
```

Vs 3
```
G   C        Am        D
I will love you, I will love you forever
G          C          Am          D
When you smile at me you make me feel so happy
G          C
And then when I'm alone
   Am           D
I'll dream of you till the day is done
G      C          Am          D  C  G/B  Am
Don't you know I will be dying to be by your side
```

Chorus
```
        G  C G  C      G  C D
Don't Go Now     Don't Go Now
        G  C G  C      G  C D
Don't Go Now     Don't Go Now
        Dsus      D        Dsus          G
I wanna live, I wanna live, I wanna live with you till I die
--
```

Don't You Eva

Words & Music Sarah Blasko and Robert F. Cranny
© Copyright Control. International Copyright Secured. All
Rights Reserved. Used by Permission.

Intro   Bbm   Bbm2   Bbm   Bbm2   Db   Dbmaj7   Db   Dbmaj7

Vs 1
       Bbm
You've got a way with words
                     Ab
You've got a way that makes me feel so complicated
  Bm
Your message meets the floor
                   Ab
The horizon meets your horse and you're deliberating
   Gb
I'm only clearing my throat

Chorus Gb   Ab/C   Bbm
And don't you ever wish for just one thing that you might never see?
       Gb   Ab/C   Bbm
And don't you ever wish for just one thing you might never know?
        Ab
You might never know...

Vs 2
       Bbm
You've got a way with words
                     Ab
You've got a way that makes me feel so complicated
   Bbm
A wall keeps you from me
                   Ab   Gb
You'd raise the doors down just so you can find the key, the wolves are waiting

Chorus Gb   Ab/C   Bbm
And don't you ever wish for just one thing that you might never see?
       Gb   Ab/C   Bbm
And don't you ever wish for just one thing you might never know?
        Ab
You might never learn...

Bridge
       Ebm   Gb   Bbm   Db   Ab
I'm underground, as the world, she's spinning around
            Ebm   Gb   Bbm   Db   Ab
And you hunt them down, try to pin them to the ground
            Ebm   Gb   Bbm   Db   Ab
There'll be no sound, as the words just tumble out
            Ebm   Gb   Bbm   Db   Ab   Bbm
And you won't be found, by the time you've hit the ground

You've got a way with words

Chorus Gb   Ab/C   Bbm
And don't you ever wish for just one thing that you might never see?
       Gb   Ab/C   Bbm
And don't you ever wish for just one thing you might never know?
        Ab
You might never learn,   Don't you ever wish for
                       Bbm
Don't you ever wish for, You might never learn
        Ab
You might never learn,   Don't you ever wish for
                       Bbm
Don't you ever wish for, You might never learn
        Ab
You might never learn,   Don't you ever wish for
                       Bbm
Don't you ever wish for, You might never learn

Dreams Call Out To Me

Words & Music J. Hume & D. Hume
© Copyright 2004 Rough Cut Music. International
Copyright Secured. All Rights Reserved. Used by
Permission.

Intro   B G#m D#m B G#m D#m

Vs 1

B   G#m   D#m   B
"The universe is dead", it's what you always said
               G#m   D#m   B
I'm trying to understand, what's going through your head
               G#m D#m   B
Dreams call out to me, I follow where they lead
        G#m   D#m B G#m D#m B
I'll go wherever you go
              G#m   D#m   B
The shining of the day, reflect it in your way
              G#m   D#m   B
The leaves upon the trees, they're from a single seed
             G#m   D#m   B
I try to turn the tide, the question in my mind
            G#m   D#m B
And it's a struggle I know
            G#m   D#m
Take me wherever you go
B   G#m   D#m
Bring me back again and don't let me fall
B   G#m   D#m
I'm not waiting for the end of it all

B G#m D#m B G#m D#m

Vs 2

B   G#m D#m   B
The turning of the tide, falling in behind
              G#m   D#m   B
Pretending not to find, the questions in my mind
              G#m   D#m   B
The shining of the day, the old familiar way
          G#m   D#m B
Follow the road where it leads
         G#m   D#m
And all the way we will sing...

Bridge

B   G#m   D#m B   G#m   D#m
Na na na na na na na na na na na, Na na na na na na na na na na na
B   G#m   D#m B   G#m
Na na na na na na na na na na na, Na na na na na na na na na na
Eb   Cm   Gm   Eb   Cm   Gm
Na na na na na na na na na na na, Na na na na na na na na na na na
Eb   Cm   Gm   Eb   Cm   Gm
Na na na na na na na na na na na, Na na na na na na na na na na na

        Eb   Cm   Gm
For the winter, for the summer for the ocean, and for the river
        Eb   Cm   Gm
For the question, for the answer, for the gift, and for the giver
        Eb   Cm   Gm
For the life, and for the liver, for the night, and for the day...

Outro   Eb Cm Gm Eb Cm Gm Eb Cm Gm Eb Cm Gm
            Eb Cm Gm Eb Cm Gm Eb Cm Gm Eb Cm Gm
            Eb Cm Gm Eb Cm Gm Eb

Dumb Things

Words & Music Paul Kelly
© Copyright Universal Music Publishing. International Copyright
Secured. All Rights Reserved. Used by Permission

Am Em Am Em Am Em Am C G D

Vs 1 Am   Em   Am   Em
    Welcome, strangers, to the show
    Am   Em   Am C G D
    I'm the one who should be lying low
    Am   Em   Am   Em
    Saw the knives out, turned my back
    Am   Em   Am C   G D
    Heard the train coming, stayed out on the track
    F   C   Em   F   G
    In the middle, in the middle, in the middle of a dream
    Am   Em   F   C
    I lost my shirt, I pawned my rings
    G   D   Am   Em Am Em Am Em Am C G D Am
    I've done all the dumb things

Vs 2 Am   Em Am   Em
    Caught the fever, heard the tune
    Am   Em   Am C G   D
    Thought I loved her, hung my heart on the moon
    Am   Em Am   Em
    Started howling, made no sense
    Am   Em   Am C G   D
    Thought my friends would rush to my defence
    F   C   Em   F   G
    In the middle, in the middle, in the middle of a dream
    Am   Em   F   C
    I lost my shirt, I pawned my rings
    G   D   Am   Em Am Em Am Em Am C G D Am
    I've done all the dumb things

Vs 3 Am   Em   Am   Em
    And I get all your good advice
    Am   Em   Am C   G   D
    It doesn't stop me from going through these things twice
    Am   Em   Am   Em
    I see the knives out, I turn my back
    Am   Em   Am C   G   D
    I hear the train coming, I stay right on that track
    F   C   Em   F   G
    In the middle, in the middle, in the middle of a dream
    Am   Em   F   C
    I lost my shirt, I pawned my rings
    G   D   Am   Em
    I've done all the dumb things
    Am   Em   F   C\
    I melted wax to fix my wings
    G   D   Am   Em
    I've done all the dumb things
    Am   Em   F   C
    I threw my hat into the ring
    G   D   Am   Em
    I've done all the dumb things
    Am   Em   F   C
    I thought that I just had to sing
    G   D   Am   Em Am Em Am Em Am C G D Am
    I've done all the dumb things

Eagle Rock

Words & Music Ross Wilson
© Copyright 1971 Cool Music Pty. Limited. Administered by
Mushroom Music Pty Limited for The World. International Copyright
Secured. All Rights Reserved. Used by Permission

Vs 1: **A**
   Now listen,

   Oh we're steppin' out.

   I'm gonna turn around,
                                      E7
   Gonna turn 'round once and we'll do the Eagle Rock.

Vs 2: **A**
   Woh momma!

   Oh your rock is swell

   Hmm yeah you do it so well,
                                  E7
   Well we do it so well when we do the Eagle Rock

Vs 3: **A**
   Hey momma,

   Yeah your rock is fine

   Why don't you give me a sign?
                                   E7
   Hmm just give me a sign and we'll do the Eagle Rock.

Chs: **A**   **G   D**
   Hey Hey Hey good old Eagle Rock is here to stay,
   D
   I'm just crazy 'bout the way we move,
   A   E7
   Doin' the Eagle Rock.
   A   **G   D**
   Woh-oh-oh come on fast, you can come on slow
   D
   I'm just crazy 'bout the way we move,
   A   E7   A
   Doin' the Eagle Rock.

Vs 4: **A**
   Woh momma!

   Well your rock is fine!

   Why don't you give me a sign?
                                   E7
   Just gotta give me a sign and we'll do the Eagle Rock.

Vs 5: **A**
   Woh baby!

   Well I feel so free!

   Hmm what you do to me!
                              E7
   What you do to me when we do the Eagle Rock.

Chs: **A**   **G**   **D**
   Hey Hey Hey good old Eagle Rock is here to stay,
D
I'm just crazy 'bout the way we move,
A   **E7**
Doin' the Eagle Rock.
A   **G**   **D**
Woh-oh-oh come on fast, you can come on slow
D
I'm just crazy 'bout the way we move,
A   **E7**   **A**
Doin' the Eagle Rock.

Instrumental and Solo

Vs 6: **A**
   Now listen,

   Oh we're steppin' out.

   Yeah, gonna turn you 'round,
                               E7
   Gonna turn 'round once and we'll do the Eagle Rock.

Chs: **A**   **G**   **D**
   Hey Hey Hey good old Eagle Rock is here to stay,
D
I'm just crazy 'bout the way we move,
A   **E7**
Doin' the Eagle Rock.
A   **G**   **D**
Woh-oh-oh come on fast, you can come on slow
D
I'm just crazy 'bout the way we move,
A   **E7**   **A**
Doin' the Eagle Rock.

A   **E7**   **A**
Doin the Eagle Rock.
A   **E7**   **A**
Doin the Eagle Rock.
A   **E7**   **A**
Doin the Eagle Rock.

Dust Me Selecta

Words & Music D. Cross, B. Reid, P. Towner,
V. Johnson, G. Johnson and L. Johnson
© Copyright Festival Music Pty. Limited/Warner Chappell
Music Australia. International Copyright Secured. All Rights
Reserved. Used by Permission.

Let's Dust me Selecta come on!

Intro   Gm Eb Gm Eb Gm Eb Gm Eb

Vs 1   Gm   Eb   Gm Eb
        You get together, moving to the sound
        Gm   Eb   Gm Eb
        Get it together, and we can bring it on
        Gm   Eb   Gm Eb
        I don't believe in holding back
        Gm   Eb   Gm Eb
        Let's get that feeling no time for turning back

Chorus   Gm   Eb   Gm   Eb
        I'm coming back to you, I'm coming back to you
                Gm   Eb   Gm   Eb
        I'm coming back to you, good things will come back to you
                Gm   Eb   Gm   Eb
        I'm coming back to you, I'm coming back for you
                Gm   Eb   Gm   Eb
        I'm coming back to you, good things will come back to you

        Gm   Eb   Gm Eb
        (spoken) You got the feeling, let's keep it real
        Gm   Eb   Gm   Eb   Gm
        You got the feeling, (You got the feeling yeah)
        Eb
        Let's Dust me Selecta come on

Vs 2   Gm   Eb   Gm Eb
        I don't believe in holding back
        Gm   Eb   Gm Eb
        You want to celebrate, no time for turning back

Chorus   Gm   Eb   Gm   Eb
        I'm coming back to you, I'm coming back to you
                Gm   Eb   Gm   Eb
        I'm coming back to you, good things will come back to you
                Gm   Eb   Gm   Eb
        I'm coming back to you, I'm coming back for you
                Gm   Eb   Gm   Eb
        I'm coming back to you, good things will come back to you

Inst   Gm Eb Gm Eb Gm Eb Gm Eb

Chorus   Gm   Eb   Gm   Eb
        I'm coming back to you, I'm coming back to you
                Gm   Eb   Gm   Eb
        I'm coming back to you, good things will come back to you
                Gm   Eb   Gm   Eb
        I'm coming back to you, I'm coming back for you
                Gm   Eb   Gm   Eb
        I'm coming back to you, good things will come back to you

Outro Gm Eb Gm Eb Gm Eb Gm Eb Gm

Evie Part 1

Words & Music Harry Vanda & George Young
© Copyright 1974 J. Albert & Son Pty. Limited. International Copyright
Secured. All Rights Reserved. Used by Permission.

Vs1   E
     I got some money in my pocket , I got the car keys in my hand

     I got myself a couple of tickets To see a rock n rollin' band
     B   A
     Come on girl just get on your shoes, We're gonna hear some sounds
     B   D
     C'mon babe you know there ain't no time, to mess around, round, round
Chorus E
     Evie, Evie, Evie let your hair hang down

     Evie, Evie, Evie let your hair hang down

     Evie, Evie, Evie let your hair hang down

     Evie, Evie, let your hair hang down

Vs 2   E
     You've got the body of a woman, the way you move it like a queen

     You got the face to raise a riot and still you're only seventeen
     B   A
     Oh little girl you're oh so shy, you hardly make a sound
     B
     C'mon babe you know there ain't no time
            D
     To mess around, round round
Chorus E
     Evie, Evie, Evie let your hair hang down

     Evie, Evie, Evie let your hair hang down

     Evie, Evie, Evie let your hair hang down

     Evie, Evie, let your hair hang down

Bridge E   D
     So won't you try it baby, I'll take you by the hand
     A   Cmaj7
     Cause there's a world out there for you, girl don't you understand?
     E   D
     You got the chance to take it, just gotta pick and choose
     A   Cmaj7
     Why don't you give it just one try, I know you can't lose

Vs 3   E
     The body of a woman, you nearly make me lose my breath

     You know you give me such a feeling, you almost scare me half to death, Ow
     B   A
     But little girl you're so reserved, you hardly make a sou-ou-ound
     B   D
     Come on baby, don't you be so shy, don't mess around, round, round,
Chorus E
     Evie, Evie, Evie let your hair hang down

     Evie, Evie, Evie let your hair hang down

     Evie, Evie, Evie let your hair hang down
                         E C#m E C#m
     Evie, Evie - let your hair hang down

Evie Part 2

Words & Music Harry Vanda & George Young
© Copyright 1974 J. Albert & Son Pty. Limited. International Copyright
Secured. All Rights Reserved. Used by Permission

Vs1   E   Amaj7/C#   B/D#   Bm/D
Evie,   there seems so much to say
          A/C#   G#sus4 G#7
But if you know me well you'd understand the way I do
E   Amaj7/C#   B/D#   Bm/D
Evie,   must be a better way
          A/C#   G#sus4 G#7
To say the things I feel, the love I only know with you
         C#m   C#m9/B   A F#m
Oh but I don't know what it is that makes me feel the way I do
     E/B A/B   G#sus4 G#7
Oh Evie, I'm nothing without you

Vs 2 E Amaj7/C#   B/D#   Bm/D
Evie ,   the sun is shining now
          A/C#   G#sus4 G#7
My eyes are open now, I see so much I never knew
E   Amaj7/C#   B/D#   Bm/D
Evie,   I want to thank you now,
          A/C#   G#sus4 G#7
For giving me this child, so much a part of me and you
         C#m   C#m9/B   A F#m
But I don't know what it is, that makes me feel the way I do,
     E/B   A
Oh Evie
     E   A
Oh Evie
     E/B   A/B
Oh Evie
                  G#sus4 G#7
So much in love with you

Evie Part 3

Words & Music Harry Vanda & George Young
© Copyright 1974 J. Albert & Son Pty. Limited. International Copyright
Secured. All Rights Reserved. Used by Permission.

C#m   G#sus4   G#

Vs 1   C#m
When I woke this morning I was king of the world
Amaj7
Longing to know if we had a boy or a girl
   F#m   C#m   G#sus4 G#7
Yes I had a feeling As proud as any man could ever hope to be
   C#m
Without any woman I don't know where I am
    A
It seems so unreal that I just can't understand
   F#m   C#m   B7
That each passing minute the one that I love is slipping away from me

Chorus E   Amaj7   F#m9   Bsus4   B7
Before I know it I'm losing you, losing you, losing you
                          Amaj7   F#m   C#m
Before I know it I'm losing you, losing you, losing you

Vs 2   C#m
There's no need to worry I can still hear them say
    Amaj7
One's born every minute every hour every day
   F#m   C#m   G#sus4 G#7
So just you relax, take the weight off your back, there's nothing you can do
   C#m
For how could they know this simple thing could go wrong
    Amaj7
Just once in a million, it just happens along
   F#m   C#m   B7
I can't understand it, I can't think at all, I don't know what to do

Chorus E   Amaj7   F#m9   Bsus4   B7
Before I know it I'm losing you, losing you, losing you
                          Amaj7   F#m   C#m
Before I know it I'm losing you, losing you, losing you

Bridge A   E   A   E
I can't believe this is happening   I can't believe this is real
 A   E   F#m   G#sus4 G#7
I don't believe I can take anymore, I can't carry on, I can't carry on
   C#m
If I had the faith, Well I'd go down on my knees
   A
Won't somebody help me, won't somebody please
   F#m
So tell me I'm sleeping, just tell me I'm dreaming
   C#m   B7
I wake up again

Chorus E   Amaj7   F#m9   Bsus4   B7
Before I know it I'm losing you, losing you, losing you
                          Amaj7   F#m   C#m
Before I know it I'm losing you, losing you, losing you

(repeat chorus)

Ego Is Not A Dirty Word

Vs 1   **Fm7**
If I did not have an ego I would not be here tonight

If I did not have an ego I might not think that I was right
    Gm7
And if you did not have an ego you might not care the way you dressed
    Bbm7
And if you did not have an ego you'd just be like the rest

Chorus **Ab6**
Ego is not a dirty word

Ego is not a dirty word

Ego is not a dirty word
Db   **Eb**
Don't you believe what you've seen or heard

Vs 2   **Fm7**
If Jesus had an ego he'd still be alive today

And if Nixon had no ego he might not be in decay
    Gm7
And if you did not have an ego you might not care too much who won
    Bbm7
And if I did not have an ego I might just use a gun

Chorus **Ab6**
Ego is not a dirty word

Ego is not a dirty word

Ego is not a dirty word
Db   **Eb**
Don't you believe what you've seen or heard

Inst   **Fm   Abm**

Bridge   **Abm**   **Eb**
Some people keep their egos in a bottom drawer
  Abm   **Eb**
A fridge full of Leonard Cohen
Abm   **Eb**
Have to get drunk just to walk out the door
Abm   **Eb**
Stay drunk to keep on goin'
Ab   **Eb**   **9Gb**
So if you've got an ego, you'd better keep it in good shape. Exercise it daily, and
Eb
get it down on tape, but

Chorus **Ab6**
Ego is not a dirty word

Ego is not a dirty word

Ego is not a dirty word
Db   **Eb**
Don't you believe what you've seen or heard
 (repeat chorus and fade)

Even When I'm Sleeping

Words & Music Dean Manning
© Copyright 1997 Mushroom Pty. Limited for
The World. International Copyright Secured.
All Rights Reserved. Used by Permission

*Note: Play written chords with capo on 3rd Fret (as per recording)

Vs 1
```
Bm7                        Bm6      G/B
Don't be confused by my apparent lack of ceremony,
         A7
My mind is clear
Bm7                Bm6              G/B
I may be low or miles high off in the distance,
         A7    F#7
I want you near
```

Chorus
```
Bm  Edim7   D          Bbm7b5   D  Bm
I      love you   even when I'm sleeping
Em     A7     D    Bm
When I close my eyes
Em     A7    D    A   A7  A6  A7
You're everywhere
```

Vs 2
```
Bm7                        Bm6              G/B
And if they take me flying on the magic carpet,
         A7
See me wave
Bm7                Bm6              G/B
If our communication fails I'll reconnect it
   A7  F#7
I want to rave
```

Chorus
```
Bm  Edim7   D          Bbm7b5   D  Bm
I      love you   even when I'm sleeping
Em     A7     D    Bm
When I close my eyes
Em     A7    D    A   A7  A6  A7
You're everywhere
```

Vs 3
```
Bm7                        Bm6          G/B
No matter where the road is leading us remember
            A7
Don't be afraid
Bm7                Bm6                      G/B
We have a continent that sometimes comes between us
   A7  F#7
That's ok
```

Chorus
```
Bm  Edim7   D          Bbm7b5   D  Bm
I      love you   even when I'm sleeping
Em     A7     D    Bm
When I close my eyes
Em     A7    D    Bm
You're everywhere
Em     A7    D    Bm
When I close my eyes
Em     A7    D    A   A7  A6  A7
You're everywhere
```

Outro
```
Bm7    Bm6    G/B         A7
Oooh, Don't be afraid, don't be afraid
Bm7    Bm6    G/B         A7
Oooh, Don't be afraid, don't be afraid
Bm7    Bm6    G/B         A7
Oooh, Don't be afraid, don't be afraid
Bm7    Bm6    G/B         D
Oooh,
```

Excited

Words & Music Katy Steele
Music Arrangements by Little Birdy
© Copyright Little Birdy Music Administered by Sony Music Publishing.
International Copyright Secured. All Rights Reserved. Used by Permission.

```
Chorus    Bbm          Gb
          I'm excited to be with you
                Bbm          Gb
          I'm excited to be with you


Vs 1      Bbm
          Pictures of the light
                Gb
          I'm gonna fall now
                      Bbm
          You're not mine now

          All you wanna change
                        Gb                    Bbm
          Won't take it so you're all alone for a long time
                Gb
          It's love you had, love you had
           Ebm
          A long long time
                Bbm
          I can't figure out why
                      F7
          You're only mine


Chorus    Bbm          Gb
          I'm excited to be with you
                Bbm          Gb
          I'm excited to be with you


Vs 2      Bbm
          Oh you wanna change
                            Gb
          Won't take it so you're all alone now
                Bbm
          I can't survive you anymore
                Gb
          My hand is getting very cold
          Ab                Bbm
          You're mine now you're mine


Chorus    Bbm          Gb
          I'm excited to be with you
                Bbm          Gb
          I'm excited to be with you


Outro     Bbm      Ab           Gb         F7
          Oh I know I know it's only what you have lost
          Bbm      Ab              Gb       F7
          Oh I know I know it's only what you have lost
          Bbm                   Gb
          Oh I know I know it's only what you have lost
          Bbm                   Gb
          Oh I know I know it's only what you have lost
          Bbm                   Gb
          Oh I know I know it's only what you have lost
          Bbm                   Gb
          Oh I know I know it's only what you have lost
          Bbm      Ab           Gb         F7
          Oh I know I know it's only what you have lost
          Bbm      Ab           Gb         F7
          Oh I know I know it's only what you have lost


          Bbm  Gb  Bbm
```

Feeler

Words & Music Pete Murray
© Copyright 2003 Sony/ATV Music Publishing Australia Pty. Limited. International
Copyright Secured. All Rights Reserved. Used by Permission

Intro   Am D Am D Am D Am D

Vs 1
```
     Am                          D
You got inside my head today, I felt you
     Am                      D
You set my imagination stray "I hold you"
     Am                    D
Responsible for all my ways I told you
     Am                   D
You take me into happy days I know, know, know
```

Chorus
```
      Am     C      F      D
That you, and I, will be, always,
      Am      C      F      D
On side, in these imaginary fields of love
```

Inst   Am D Am D

Vs 2
```
     Am                          D
You got inside my head today, I felt you
     Am                      D
You set my imagination stray "I hold you"
     Am                    D
Responsible for all my ways I told you
     Am                   D
You take me into happy days I know, know, know
```

Chorus
```
      Am     C      F      D
That you, and I, will be, always,
      Am      C      F      D
On side, in these imaginary fields of love
```

Inst   Am D Am D
       Am D Am D Am D Am D

Chorus Am   C F   D
```
You, and I, will be, always,
      Am      C      F      D
On side, in these imaginary fields of love
    Am      CF         D
You, and I, will be, always,
      Am      C      F      D
On side, in these imaginary fields of love
```

```
Asus2  C  F  D  Asus2  C  F  D
          Asus2            C              F              D
Na na na na na , Na na na na na, Na na na na na, Na na na na na
          Asus2            C              F              D
Na na na na na , Na na na na na, Na na na na na, Na na na na na
          Asus2            C              F              D
Na na na na na , Na na na na na, Na na na na na, Na na na na na
          Asus2  C  F  D  Asus2  C  F  D  Asus2
Na na na oh
```

Father's Day

Words & Music Michael James Thomas
© Copyright Mushroom Music Pty. Limited. International
Copyright Secured. All Rights Reserved. Used by Permission.

E A B E F#m A E A B E F#m A

Vs 1
```
E                        A      B E                    F#m  A
I haven't always been a single man, I haven't always lived up here
E                    A     B
Along with all these other single men
     E                        F#m              B
With a ring around my bath and a cigarette butt in my beer
E                     A      B E              F#m  A
I haven't always been a lonely man , I haven't always lived alone
E                         A            B
You know I haven't always drunk this much
     E                    F#7
But Hey before you cut me down , just try standing in my shoes
A
Cause I don't have to hear one word of this no
```

Chorus
```
E                 F#7
On any other day , I might care what you say
A
But every Saturday is father's day
E                     F#7
You might call it sad , you might call me mad
A        E/G# F#m          E
But I got the one   who calls me Dad
```

E A B E F#m A

Vs 2
```
E                         A      B E                    F#m   B
And all the other blokes that live up here, know how to leave a man alone
E                        A      B
They're not a bad old bunch that live up here
        E                           F#m  B
Ah but you know that it's not family and it's not home
E                     A      B
What of my darling wife that once I had ,
     E                       F#m  B
Well I'm pleased to say that she still talks to me
E                 A            B
But I try not to think of what went wrong
E                     F#7
Cause I might say that I was right , she might say that she was right
         A
And the only rights I care about are visiting rights yeah
```

Chorus
```
E                 F#7
On any other day , I might care what you say
A
But every Saturday is father's day
E                     F#7
You might call it sad , you might call me mad
A        E/G# F#m          E
But I've got one   who calls me Dad
```

```
Bridge  D
        We go where he wants to go
        E
        We do what he wants to do
        D
        I tell him everything I know
        E         B  A
        Cause I'd do anything to prove
        E         B  A
        Yeah I'd do anything to prove

Chorus  E                   F#7
        But every Saturday, I will do just what he says
        A
        'cause every single Saturday is Father's Day
        E                        F#7
        And you might call it sad , you might call me mad
        A
        But it don't feel so bad when he calls me
        E                   F#7
        You might call it sad , you might call me mad
        A         E/G#      F#m7
        But God, I feel so glad!
                            E
        When he calls me dad.
        A         B       E
        When he calls me dad
        A         B       E
        When he calls me dad
        E                   A              B    E
        I haven't always been a single man
```

Feet Touch The Ground

Words & Music Vanessa Thornton, Brett Mitchell,
Kevin Mitchell and Chris Daymond
© Copyright Sony/ATV Music Publishing. International
Copyright Secured. All Rights Reserved. Used by Permission

Intro   C#m B C#m B

Vs 1
```
        C#m                                   B
So I thought the worst was over, when my heart stopped beating again
        C#m                              B
And the weak side of my body came undone, through trusting them
        C#m                        B
So we walked into the building, took the lift to the third floor
           C#m                  B
Pain lies behind that door what am I to do now?
                     C#m              B
When what they tell me is what they sell me
                     C#m              B
When what they tell me is what they sell me
```

Vs 2
```
        C#m                               B
And I know to be realistic will save me from the shock to come
        C#m                            B
Any fool believes what you tell them happiness in being dumb
        C#m                      B
So we listened to the experts, everyone needs some kind of guide to help them
C#m                         B
See deep inside what am I to do now?
                     C#m              B
When what they tell me is what they sell me
                     C#m              B
When what they tell me is what they sell me
```

Chorus
```
              E                         C#m  B  C#m  B/D#
And it's not the truth but I'm not coming down,
      E                 C#m  B  C#m  B/D#  C#m  B  C#m  B
Till my feet touch the ground
```

Vs 3
```
        C#m                                   B
So I thought the worst was over, when my heart stopped beating again
        C#m                          B
And the weak side of my body doubled up, I'm never trusting them
        C#m                      B
So don't listen to the experts, 'cause I've seen they don't know anything
        C#m                    B
Can you hear the truth ring? What am I to do now?
                     C#m              B
When what they tell me is what they sell me
                     C#m              B
When what they tell me is what they sell me
```

Chorus
```
              E                         C#m  B  C#m  B/D#
And it's not the truth but I'm not coming down,
      E                 C#m  B  C#m  B/D#
Till my feet touch the ground
      E                 C#m  B  C#m  B/D#  E                   C#m  B  C#m  B/D#
No, I'm not coming down,                  'till my feet touch the ground - ground
```

Bridge E B/D# G#m A E B/D# G#m C#m

E B/D# G#m A E B/D# G#m C#m E   B/D#   G#m A E B/D# B
Father,   oh I,   everyday,   Feels like you're further away

E   C#m B C#m B/D# E   C#m B C#m B/D#
No, I'm not coming down,   'till my feet touch the ground - ground

E   C#m B C#m B/D# E   C#m B C#m B/D#
No, I'm not coming down,   'till my feet touch the ground - ground

Ending C#m   B

Flame Trees

Words & Music Don Walker & Steve Prestwich
© Copyright 1984 Burdikan Music Administered by Rondor Music
(Australia) Pty. Ltd/BMG Music Pty. Limited. International Copyright
Secured. All Rights Reserved. Used by Permission.

Vs 1
```
A                              E                   A
Kids out driving Saturday afternoon just pass me by
Asus2           E          A
I'm just savouring familiar sights
Asus2           E
We share some history, this town and I
A          B          G#m                 A
And I can't stop that long forgotten feeling of her
A          B          E A E
Try to book a room to stay the night
```

Vs 2
```
A                              E                   A
Number one is to find some friends to say "You're doing well.
Asus2                E           A
After all this time you boys look just the same."
Asus2                E
Number two is the happy hour at the one of the two hotels,
A          B          G#m              A
Settle in to play "Do you remember so and so?".
A          B          E A B
Number three is never say her name.
```

Chorus
```
        Amaj7          B6          F#m
    Oh the flame trees will blind the weary driver
               A              B       E A
    And there's nothing else could set fire to this town
    E          Amaj7          B6          C#m          E/G#
    There's no change, there's no pace, everything within its place
               A              B              E          A E
    Just makes it harder to believe that she won't be around.
```

Vs 3
```
A                       E                   A
But Ah! Who needs that sentimental bullshit, anyway
Asus2                       E           A
Takes more than just a memory to make me cry
Asus2                       E
I'm happy just to sit here round a table with old friends
A                   Asus2              E
And see which one of us can tell the biggest lies.
```

Vs 4
```
        A                          E
There's a girl falling in love near where the pianola stands
A                                  E
With her young local factory out-of-worker, just holding hands
        A          G#m          B
And I'm wondering if he'll go or if he'll stay.
C          G          C                   G          Dsus4   D
Do you remember, nothing stopped us on the field in our day
```

Chorus
```
        Amaj7          B6          F#m
    Oh the flame trees will blind the weary driver
               A              B       E A
    And there's nothing else could set fire to this town
    E          Amaj7          B6          C#m          E/G#
    There's no change, there's no pace, everything within its place
               A              B              E          A E
    Just makes it harder to believe that she won't be around.
    (repeat chorus)
```

Friday On My Mind

Words & Music George Young & Harry Vanda
© Copyright 1966 J. Albert & Son Pty. Limited.
International Copyright Secured. All Rights
Reserved. Used by Permission

Vs 1   **Em**   **A D A D A**
Monday morning feels so bad,
Em   **A**   **D A D A**
Everybody seems to nag me
G   **B**   **E7**   **Am**
Come on Tuesday I feel better, even my old man looks good
A   **Dm**
Wednesday just won't go, Thursday goes too slow
D°   **C**   **E A F#m B A**
I've got Friday on my mind

Chorus **A**   **C#m** **A**   **C#m**
Gonna have fun in the city,   be with my girl, she's so pretty
D   **F#7**   **Bm**
She looks fine tonight, she is outa' sight to me
      D   **B**
Tonight, I'll spend my bread, Tonight, I'll lose my head
      D   **A**   **E7**
Tonight, I've got to get tonight
Am   **D**   **G**   **E**   **Em**
Monday I'll have Friday on my mind

Vs 2   **Em**   **A D A D**
Do the five day drag once more,
Em   **A D A D A**
I know of nothing else that bugs me
G   **B7**   **E7**   **Am**
More than working for the rich man, hey I'll change that scene one day
A   **Dm**
Today I might be mad, tomorrow I'll be glad
D°   **C**   **E A F#m B A**
'Cause I've got Friday on my mind

Chorus **A**   **C#m** **A**   **C#m**
Gonna have fun in the city,   be with my girl, she's so pretty
D   **F#7**   **Bm**
She looks fine tonight, she is outa' sight to me
      D   **B**
Tonight, I'll spend my bread, Tonight, I'll lose my head
      D   **A**   **E7**
Tonight, I've got to get tonight
Am   **D**   **G**   **E**   **Em**
Monday I'll have Friday on my mind

Outro **A**   **C#m** **A**   **C#m**
Gonna have fun in the city,   be with my girl, she's so pretty
      A   **C#m** **A**   **C#m**
Gonna have fun in the city,   be with my girl, she's so pretty

Four Seasons In One Day

Words & Music Neil Finn & Tim Finn
© Copyright 1991 Roundhead Music for Australia and
New Zealand Mushroom Music Pty. Limited. International
Copyright Secured. All Rights Reserved. Used by Permission

Intro   Em   D/F#   G   Am

Vs 1   Em   D/F#   G
Four seasons in one day
Am   Am6
Lying in the depths of your imagination
Em   D/F#   G
Worlds above and worlds below
    Am   Am6   C
The sun shines on the black clouds hanging over the domain
Bm   C
Even when you're feeling warm
     Bm   Am
The temperature could drop away
      D   G   D/F#
Like four seasons in one day

Vs 2   Em   D/F#   G
Smiling as the shit comes down
Am   Am6
You can tell a man from what he has to say
Em   D/F#   G
Everything gets turned around
   Am   Am6   C
And I will risk my neck again, again
Bm   C
You can take me where you will
Bm   Am
Up the creek and through the mill
    Bm   C
Like all the things you can't explain
D   G   Am   G/B
Four seasons in one day

Chorus   C   G
Blood dries up
     D   Em
Like rain, like rain
C   G
Fills my cup
     D   Em   D/F#   G   Am   C   B7   Em   D/F#   G
Like four seasons in one day

Vs 3   **Am**
       Doesn't pay to make predictions
       Em   **D/F#**   **G**
       Sleeping on an unmade bed
       Am   **Am6**   **C**
       Finding out wherever there is comfort, there is pain
       Bm   **C**
       Only one step away
            D   **G**
       Like four seasons in one day

Chours **C**   **G**
       Blood dries up
            D   **Em**
       Like rain, like rain
       C   **G**
       Fills my cup
       D   **Em**
       Like four seasons in one day.

From Little Things, Big Things Grow

Words & Music Paul Kelly & Kev Carmody
© Copyright Mushroom Music Pty. Limited for
Australia and New Zealand / Larrikin Music for
The World. International Copyright Secured. All
Rights Reserved. Used by Permission.

Vs 1
```
E          C#m    G#m     B
Gather round people I'll tell you a story
E          C#m    G#m           B
An eight year long story of power and pride
E          C#m    G#m     B
British Lord Vestey and Vincent Lingiarri
       E   C#m    G#m      B  E  C#m  G#m  B
Were opposite men on opposite sides
E          C#m  G#m             B
Vestey was fat with money and muscle
E          C#m    G#m           B
Beef was his business, broad was his door
E          C#m    G#m           B
Vincent was lean and spoke very little
    E          C#m          G#m           B
He had no bank balance, hard dirt was his floor
E    C#m    G#m       B
From little things big things grow
E    C#m    G#m       B
From little things big things grow

E  C#m  G#m  B  E  C#m  G#m  B
```

Vs 2
```
E          C#m       G#m        B
Gurindji were working for nothing but rations
E          C#m       G#m            B
Where once they had gathered the wealth of the land
E      C#m    G#m          B
Daily the pressure got tighter and tighter
E      C#m    G#m             B
Gurindju decided they must make a stand
      E       C#m     G#m         B
They picked up their swags and started off walking
E      C#m    G#m             B
At Wattie Creek they sat themselves down
E          C#m       G#m                    B
Now it don't sound like much but it sure got tongues talking
E      C#m    G#m             B
Back at the homestead and then in the town
E    C#m    G#m       B
From little things big things grow
E    C#m    G#m       B
From little things big things grow

E  C#m  G#m  B  E  C#m  G#m  B
```

Vs 3
```
E          C#m  G#m           B
Vestey man said I'll double your wages
E          C#m    G#m         B
Seven quid a week you'll have in your hand
E          C#m       G#m          B
Vincent said "uh uh we're not talking about wages
      E       C#m  G#m        B
We're sitting right here till we get our land"
E          C#m    G#m          B
Vestey man roared and Vestey man thundered
      E       C#m  G#m             B
You don't stand the chance of a cinder in snow
E          C#m    G#m        B
Vince said if we fall    others are rising
```

```
    E    C#m      G#m           B
From little things big things grow
    E    C#m      G#m           B
From little things big things grow
```

```
E  C#m  G#m  B  E  C#m  G#m  B
```

Vs 4
```
    E                C#m  G#m            B
Then Vincent Lingiarri boarded an aeroplane
    E        C#m      G#m        B
Landed in Sydney, big city of lights
        E        C#m            G#m             B
And daily he went round softly speaking his story
        E        C#m      G#m        B
To all kinds of men from all walks of life
        E            C#m      G#m        B
And Vincent sat down with big politicians
            E        C#m      G#m            B
This affair they told him is a matter of state
    E            C#m      G#m        B
Let us sort it out, your people are hungry
    E        C#m          G#m            B
Vincent said no thanks, we know how to wait
E    C#m      G#m           B
From little things big things grow
E    C#m      G#m           B
From little things big things grow
```

```
E  C#m  G#m  B  E  C#m  G#m  B
```

Vs 5
```
        E                C#m      G#m        B
Then Vincent Lingiarri returned in an aeroplane
    E        C#m      G#m        B
Back to his country once more to sit down
        E        C#m          G#m            B
And he told his people let the stars keep on turning
        E            C#m      G#m            B
We have friends in the south, in the cities and towns
    E            C#m      G#m        B
Eight years went by, eight long years of waiting
        E            C#m      G#m            B
Till one day a tall stranger appeared in the land
    E                C#m          G#m                    B
And he came with lawyers and he came with great ceremony
        E                C#m          G#m        B
And through Vincent's fingers poured a handful of sand
E    C#m      G#m           B
From little things big things grow
E    C#m      G#m           B
From little things big things grow
```

```
E  C#m  G#m  B  E  C#m  G#m  B
```

```
    E        C#m      G#m            B
That was the story of Vincent Lingairri
        E        C#m      G#m            B
But this is the story of something much more
        E        C#m      G#m        B
How power and privilege can not move a people
        E                C#m      G#m            B
Who know where they stand and stand in the law
E    C#m      G#m      B    E    C#m      G#m        B
From little things big things grow, from little things big things grow
E    C#m      G#m      B    E    C#m      G#m        B
From little things big things grow, from little things big things grow
```

From The Sea

Words by Eskimo Joe & Kav. Music by Eskimo Joe
© Copyright Mushroom Music Pty. Limited. International
Copyright Secured. All Rights Reserved. Used by Permission.

```
Intro   Gb  Bbm


Vs 1    Gb                  Bbm
        Ooh I'm so spaced out today,
        Gb              Bbm
        Ooh I could of slept for days,
        Gb                  Bbm     Ab
        It's like a radar and it comes to you,
            Eb9  Gbmaj7    Bbm  Db/Ab       Eb9  Gbmaj7
        From the sea,       from the sea,      from the sea


Vs 2    Gb                  Bbm
        Ooh she's just so under pain,
        Gb              Bbm
        Ooh I'm so spaced out today
        Gb                      Bbm     Ab
        My head's a lead weight and it comes to you,
            Eb9  Gbmaj7    Bbm  Db/Ab       Eb9  Gbmaj7
        From the sea,       from the sea,      from the sea


Chours  Bbm     Db/Eb  Db    Gb           Ebm7   Db
        Hello, hello,      oh hello, (the world repeats    itself some how)
        Bbm             Db/Eb  Db    Gb              Ebm7   Db
        She knows, she knows,      oh she knows, (the world repeats itself some how )
        Eb7                     Gb
        Only just beginning to know,
            Eb7                 Gb  Bbm
        She's only just beginning to know


Vs 3    Gb                  Bbm
        Ooh, there's just no oxygen
        Gb              Bbm     Ab
        Ooh, why can't we just fall in,
            Eb9
        In the sea


Chours  Bbm     Db/Eb  Db    Gb           Ebm7   Db
        Hello, hello,      oh hello, (the world repeats    itself some how)
        Bbm             Db/Eb  Db    Gb              Ebm7   Db
        She knows, she knows,      oh she knows, (the world repeats itself some how )


        Bbm Db/Eb  Db Gb  Ebm  Db
        Oh,  oh,    oh, oh,  oh
        Bbm Db/Eb  Db Gb  Ebm  Db
        Oh,  oh,    oh, oh,  oh


Chours  Bbm     Db/Eb  Db    Gb           Ebm7   Db
        Hello, hello,      oh hello, (the world repeats    itself some how)
        Bbm             Db/Eb  Db    Gb              Ebm7   Db
        She knows, she knows,      oh she knows, (the world repeats itself some how )
        Eb7                     Gb
        Only just beginning to know,
            Eb7                 Gb  Bbm
        She's only just beginning to know
            Eb7                 Gb
        She's only just beginning to know now
```

Get Activated

Words & Music D. Cross, B. Reid and P. Towner
© Copyright Festival Music Pty. Limited. International Copyright
Secured. All Rights Reserved. Used by Permission

Vs 1   B
Yeah high, lay low, I don't think it's gonna go

The new neutralised race
     D   E
You gotta get out while you can, to start to understand
    B
A new meaning of a change
B
Yeah well we wanna get out, you know what's real, We kickin' it as

Fast as we can
     D   E
Because the minute they start dealin', it's the end of the freewheelin'
    B
No beginning of the end

Chorus G   Em
Yeah, we wanna get activated
      G   Em
Yeah, we wanna get activated
      B
You cannot hold us back, You cannot hold us back, With your dead world

Vs 2   B
Well you lookin' for some trouble, trillion times on the double

Gotta doublecross their games
        D   E
Yeah well the meanings are the same, when you understand the games,
    B
Malfunction to the blame
B
Hiding out for situation, when the timing right you take em

Gotta play by your own rules, Whoah ho
D   E
Patriotic rats tryin' to take it all back
      B
Don't step over like we fools, oh yeah

Chorus G   Em
Yeah, we wanna get activated
      G   Em
Yeah, we wanna get activated
      B
You cannot hold us back, You cannot hold us back, With your dead world
      B
Motherf**ker you cannot hold us back,you cannot hold us back,
You cannot hold us back, you cannot hold us back
F**kin patriotic rats, patriotic f**kin rats
Motherf**ker patriotic rats, Patriotic f**kin rats

End   B
yeah,yeah,yeah,
    G   A   Bm
yeah,yeah,yeah

Gamble Everything For Love

Words & Music Ben Lee
© Copyright 2005 Millennium Buggery
Music/BMG Music Publishing Australia Pty.
Limited. International Copyright Secured. All
Rights Reserved. Used by Permission

Vs 1   **Am**
Gamble everything for love, gamble everything

Put it in a place you keep what you need
        F
You can gamble everything for love if you're free
      Am
You gotta gamble everything for love
Am
Baby are ya cold, are ya cold baby

I could wrap you up, wrap you up in my love
         F
If you wanna, you can gamble everything for love
         Am
If you wanna, you can gamble everything for love.

Chs **C**
Tell me are you feeling lost, have you crossed
     F
In the places that you never knew to get through
   C
Tell me are you gonna cry all night
F
Tell me the truth, and I'll tell you the truth
     D7
If you gamble everything for love
         F   **Am**
You gonna be alright, alright

Vs 2   **Am**
Make a list of things you need, leave it empty

Except for number one, write "love", gamble everything
F
Keep it under lock and key
         Am
If you wanna, you can gamble everything for love
Am
Love me with an open heart tell me anything

We can find a place to start to gamble everything
F
We can set this thing apart, cos we're gonna, gonna
Am
Gamble everything for love

Chs **C**
Tell me do you lose you way each day
       F
Are there people you don't recognise, do they lie?
C
Tell me does it make you feel too real?
F
Tell me the truth, and I'll tell you the truth
    D7
If you gamble everything for love
        F   **Am**
You gonna be alright, alright

Bridge **F**   **Am**
      Oooh you can go your own way,
      F   **Am**
      Oooh you can go your own way,
      C   **F**
      Oooh you gotta go your own way
        D7
      If you gamble everything for love
          F
      If you gamble everything for love

Vs 3   **Am**
      Gamble everything for love, gamble everything

      Put it in a place you keep what you need
          F
      You can gamble everything for love if you're free
             Am
      You gotta gamble everything for love
      C
      Tell me are you gettin' hurt?, is it worth it?
      F
      Tell me are the people strange?, do they change?
      C
      Tell me are you letting go?, do you know?
        F
      I'll Tell you the truth, if you tell me the truth
          D7
      If you gamble everything for love
          F
      If you gamble everything for love
          D7
      If you gamble everything for love
              F   **Am**
      You gonna be alright, alright, all right

Get Free

Words & Music Craig Nicholls
© Copyright Mushroom Music. International Copyright Secured. All
Rights Reserved. Used by Permission

Intro   D5 (bend up to – sim. throughout) D#5 C5 D5 Eb5 C5 D5 Eb C5 G5
        D5 Eb D5 Eb D5 Eb C5 G5

Vs 1   D5   Eb   C5 D5   Eb   C5
       I wanna get free,   I wanna get free
       D5   Eb   C5   G5
       I wanna get free ,ride into the sun
       D5   Eb   C5 D5   Eb C5
       She never loved me,   She never loved me
       D5   Eb   C5   G5
       She never loved me , why should anyone

Chorus C5   D5 C5   D5 C5   D5 G5   G#5 F5
       Come here Come here Come here, I'll take your photo for ya
       C5   D5 C5   D5 C5   D5 G5   G#5   F5
       Come here Come here Come here, Drive you around the corner
       C5   D5 C5   D5 C5   D5 G5   G#5 F5
       Come here Come here Come here, You know you really oughta
       C5   D5 C5   D5 C5   D5 G5   G#5 F5
       Come here Come here Come here, Get out of California

       D5 Eb D5 Eb D5 Eb C5 G5
       D5 Eb D5 Eb D5 Eb C5 G5

Vs 2   D5 Eb D5 Eb D5 Eb C5   G5
       Get   me   far   When I've a lot to lose
       D5 Eb D5 Eb D5 Eb C5 G5
       Save   me   from   Here

Chorus C5   D5 C5   D5 C5   D5 G5 G#5 F5
       Come here Come here Come here,
       C5   D5 C5   D5 C5   D5 G5 G#5 F5
       Come here Come here Come here,
       C5   D5 C5   D5 C5   D5 G5 G#5 F5
       Come here Come here Come here,
       C5   D5 C5   D5 C5   D5 G5 G#5 A5
       Come here Come here Come here,

Bridge Bb5   G5 Bb5   A5
       When it's breeding time, look into your mind away

Vs 3   D5   Eb   C5 D5   Eb   C5
       I'm gonna get free,   I'm gonna get free
       D5   Eb   C5   G5
       I'm gonna get free ,ride into the sun
       D5   Eb   C5 D5   Eb C5
       She never loved me,   She never loved me
       D5   Eb   C5   G5
       She never loved me , why should anyone

Chorus C5   D5 C5   D5 C5   D5 G5   G#5 F5
       Come here Come here Come here, I'll take your photo for ya
       C5   D5 C5   D5 C5   D5 G5   G#5   F5
       Come here Come here Come here, Drive you around the corner
       C5   D5 C5   D5 C5   D5 G5   G#5 F5
       Come here Come here Come here, You know you really oughta
       C5   D5 C5   D5 C5   D5 G5   G#5 F5
       Come here Come here Come here, Get out of California

Get Set

Words & Music Tim Wild
© Copyright Mushroom Music Pty. Limited. International Copyright Secured.
All Rights Reserved. Used by Permission.

Vs 1   B
Makin' the scene, I really mean

You could be there with me, and make believe

I'll find a place for us, to be alone

Here in the depth of our emotion

Don't you know, baby

Chorus B   D7   G9   E
Get set, everybody, we're on our way, to meet you
         B   D7   G9   E
Too late, everybody, we're on our way, to nowhere
                B
And I will be there

        B
Kick out your seat, let's elevate

Hold on to what you know is gonna break

A roller coaster ride inside your mind

Is what you need to terrify you

Don't you know, baby

Chorus B   D7   G9   E
Get set, everybody, we're on our way, to meet you
         B   D7   G9   E
Too late, everybody, we're on our way, to nowhere
                B
And I will be there

        G9   E7
  Never gets you too far
        G9   E7/G#
  Never gets you too far now
          G9
If you climb aboard there is nothing to it
        E/G#
If you concentrate we will see you through it

Don't forget at the end of the ride
        F#7/A#   B   D7 G9 E
You'll be hypnotized by the sound, it's too late

Chorus B   D7   G9   E
Get set, everybody, we're on our way, to meet you
         B   D7   G9   E
Too late, everybody, we're on our way, to nowhere
                B
And I will be there

If you want me to

If you want me to

Gimme' Head

Words & Music G. Turner
© Copyright Rondor Music (Australia) Pty. Limited. International
Copyright Secured. All Rights Reserved. Used by Permission.

(spoken) Give me Head baby,
Give me Head like you did just last night, ah ah ah

Intro   D D+ D D+ D D+ D D+
        D Bb+ D Bb+ D Bb+ D Bb+

Vs 1   D   Bb+   D   Bb+
       You got me steamin at a hundred degrees
       D   Bb+   D   Bb+
       Each time I see you I go weak at the knees
                G
       You sink me under, bring me undone
                D Bb+   D Bb+
       With words that said, words that said
        A   G   D Bb+   D Bb+
       But best of all, oh lord, you give me head, You give me head
                D Bb+   D Bb_+
       You give me head, you give me head

Vs 2   D   Bb+   D   Bb+
       You give me scratch marks down the length of my back
       D   Bb+   D   Bb
       You give me teeth marks at the side of my neck
                G
       You whisper sweet things, you give me beatings
                D Bb+   D Bb+
       You wreck my bed   (wreck my bed)
        A   G   D Bb+   D Bb+
       But best of all, oh lord, you give me head, You give me head
                D Bb+   D Bb+
       You give me head, you give me head

Bridge   G   D A   D A D   G
        Ah so Ah say you'll never leave me
        D   A   D   A   D G
        A- promise me you'll stay
          D   A   D A D   Bb   C
        'Cos now that I'm in heaven don't slip away oh!

Inst Vs D Bb+ D Bb+ D Bb+ D Bb+
        D Bb+ D Bb+ D Bb+ D Bb+
                                  I like it
        G D Bb+ D Bb+ A G D Bb+ D Bb+

Vs 3   D   Bb+   D   Bb+
       You got me steamin at a hundred degrees
       D   Bb+   D   Bb+
       Each time I see you I go weak at the knees
                G
       You whisper sweet things, you give me beatings
                D Bb+   D Bb+
       You wreck my bed   (wreck my bed)
        A   G   D Bb+   D Bb+
       But best of all, oh lord, you give me head, You give me head
                D Bb+   D Bb+
       You give me head, you give me head
                D Bb+   D Bb+
       You give me head, you give me head
                D Bb+   D Bb+
       You give me head, you give me head
           G
       Suck!

The Girl Of My Dreams Is Giving Me Nightmares

Words & Music by Ford & Leggo
© Copyright Mushroom Music
Publishing Pty. Limited.
International Copyright Secured.
All Rights Reserved. Used by
Permission

Vs1
```
       F#m    A                E
The girl of my dreams is giving me nightmares
       F#m       A      E
I found her on TV, now I see her everywhere
          F#m          A             E
She's got style, she's got violent ways about her
         F#m        A         E
She's got me so that I can't dream without her
              F#m    A                 E
She's giving me nightmares, She's giving me nightmares
              F#m    A             E
She's giving me nightmares, She's giving me nightmares
F#m   A    C#m  F#m   A    C#m
My bedside is loaded, my bedside's exploded
F#m      A            C#m           E
Hard to believe you can't get what you' dream'
     F#m      A          C#m      E              F#m
If you try sometimes you might find you get what you steal
```

Vs 2
```
        F#m     A               E
The girl of my dreams is giving me nightmares
        F#m          A                E
I don't know what it means, but she's got multi-coloured hair
            F#m       A          E
When she stands in the sand I dream of peaches
        F#m        A     E
I'm not sure what that means either
              F#m    A                 E
She's giving me nightmares, She's giving me nightmares
              F#m    A             E
She's giving me nightmares, She's giving me nightmares
F#m   A    C#m  F#m   A       C#m
People keep on staring, people keep on staring
          F#m      A       C#m  E
And it's one flat-pick to get started,
          F#m        A     C#m   E
It's two flat-pick to get started
      F#m A  C#m  E   F#m    A    C#m  E
My ceiling is on fire,    my feelings are on fire
F#m       A          C#m           E
Hard to believe you can't get what you dream'
        F#m      A          C#m      E         F#m
If you try sometimes you might find you get what you steal
```

Inst   F#m A E F#m A E

Vs 3
```
        F#m      A                E
The girl of my dreams is giving me nightmares
        F#m               A               E
And someone wrote a message on my bus
F#m      A    C#m E  F#m    A       C#m    E
My breakdown is comin' runnin', seein's bleedin', bleedin's believin'
F#m      A   C#m  E   F#m     A    C#m  E
My ceiling is on fire,    my feelings are on fire
F#m     A    C#m  E   F#m    A    C#m  E
My feelings, my feelings, my feelings are on fire
F#m       A          C#m           E
Hard to believe you can't get what you dream
        F#m      A          C#m      E           F#m
If you try sometimes you might find you get what you steal, you get what you steal
```

Girls Like That (Don't Go For Guys Like Us)

Words & Music David McCormack, Dylan McCormack and Trevor Ludlow
© Copyright Mushroom Music.
International Copyright Secured. All Rights Reserved. Used by Permission

Intro   F#7 B7 F#7 C#7
F# B C#7 F# B C#7 F# B Bb Eb7

```
Vs 1   Abm         Db7 Abm              Eb
       Girls like that,   Girls like that don't go for guys like us
         Ab              Db7
       I wanna see the facts
       Ab              Eb E  Eb
       And she says simply, "no,   ah ah"
         E
       The Julio Iglesias
         C#/F
       He just ain't scientific
```

```
Chorus C#7                  F#    B
       I'll keep on lookin' for that lovin' feelin'
       C#7                  F#    B
       I'll keep on lookin' for that lovin' feelin'
       C#7                  F#         B
       All of the chemists and witch doctors they know
              Bb        Eb
       What I'll never ever know, Gee – tar!
```

Inst   Abm Db Abm Eb Abm Db Abm Eb E Eb E Eb Db B

```
Vs 2          Abm         Db Abm              Eb
       Now listen, Girls like that,   girls like that don't go for guys like us
               Ab            Db Ab            Eb
       I still wanna see the facts,   But this time she's serious
                   Abm             Db
       She says there's two too many worlds
       Abm                   Eb
       Too many worlds wrapped up in science fiction
       Abm           Db
       Tiny boys and tiny girls
       Abm           Eb  E       Eb
       I may well live to regret   this in the morning
       E                     C#
       For I am considering, a move to South America
```

```
Chorus C#7                  F#   B
       To keep on lookin' for that lovin' feelin'
       C#7                  F#   B
       I'll keep on lookin' for that lovin' feelin'
       C#7                  F#        B
       All of the chemists and witch doctors they know
              Bb        Eb
       What I'll never ever know,
       C#7                          F#   B
       They know they know they know that lovin' feelin'
       C#7                          F#   B
       They know the chemists and witch doctors know it
       C#7                          F#   B
       They know they know they know that lovin' feelin'
       C#     F#     B C#7
       That feelin', That feelin'
              F# B  C#       F# B  C#
       Woo hoo hoo,     hoo hoo hoo hoo
              F# B  C#       F# B  C#  F#
       Woo hoo hoo,     hoo hoo hoo hoo
```

Girls On The Avenue

Intro   Eb Cm Eb Cm

Vs 1   Eb   Cm   Eb   Cm
Girls on the avenue, they're tryin' to get you in,
Ab   Eb   Cm
strollin' by with their rosebud smiles.
Eb   Cm Eb   Cm
They're all dressed up to kill, lean on the window sill,
Ab   Eb   Cm
Lookin' your way with eyes of fire.

Chorus Abmaj7   Bb Abmaj7   Bb
But don't you flip, don't you slip
   Ab   Eb   Gm Cm
in love with the girls on the avenue.
Ebmaj7   Eb   Ab6 Abmaj7
Friday night, see the girls on the avenue.
Ab6   AbMaj7 Ebmaj7 Gm
Like a child at big store windows,
   Cm   Eb   Ab6 Eb   Fm7   Bb7   Cm Bb7
you feel confused, so many girls on the avenue.

Vs 2   Eb   Cm   Eb   Cm
Girls on the avenue know how to get you in,
Ab   Eb   Cm
Casting out signs like tricks from a hand.
Eb   Cm   Eb   Cm
All the Miss Lonely Hearts, ooh they look awful hard,
Ab   Eb   Cm
And sometimes they seem as fragile as glass.

Chorus Abmaj7   Bb Abmaj7   Bb
But don't you flip, don't you slip
   Ab   Eb   Gm Cm
in love with the girls on the avenue.
Ebmaj7   Eb   Ab6 Abmaj7
Friday night, see the girls on the avenue.
Ab6   AbMaj7 Ebmaj7 Gm
Like a child at big store windows,
   Cm   Eb   Ab6 Eb   Fm7   Bb7   Cm Bb7
you feel confused, so many girls on the avenue.

Inst   Cm Gm G Bb D Cm Gm Cm Gm

Outro Abmaj7   Bb Abmaj7   Bb
But don't you flip, don't you slip
   Ab   Eb   Gm Cm
in love with the girls on the avenue.
Abmaj7   Bb Abmaj7   Bb
But don't you flip, don't you slip
   Ab   Eb   Gm Cm
in love with the girls on the avenue.

(repeat and fade)

123

Good Dancers

Words & Music Luke Steele
© Copyright Sony/ATV Music Publishing. International Copyright
Secured. All Rights Reserved. Used by Permission.

Intro   D Bm F#m A D Bm F#m A

Vs 1
```
D              Bm                 F#m   A
Don't always dream for what you want
D              Bm                 F#m   A
But I love to watch good dancers talk
D          Bm                 F#m   A
My heart is stronger than you all
D              Bm                 F#m   A
But I love to watch good dancers talk
```

```
D   Bm                F#m           A
     The war's good the wars good and I'm so tired
D   Bm                F#m           A
     The war's good the wars good and I'm so tired
```

Vs 2
```
D              Bm                 F#m   A
Don't always dream for what you want
D              Bm                 F#m   A
But I love to watch good dancers talk
D          Bm                 F#m   A
My heart is stronger than you all
D              Bm                 F#m   A
But I love to watch good dancers talk
```

```
D   Bm                F#m           A
     The war's good the wars good and I'm so tired
D   Bm                F#m           A
     The war's good the wars good and I'm so tired
D   Bm                F#m           A
     The war's good the wars good and I'm so tired
D   Bm                F#m           A
     The war's good the wars good and I'm so tired
```

```
D                      Bm            F#m    A
When you think with your mind you've got a place to go now
D                      Bm            F#m    A
When you think with your mind you've got a place to go now
```

D Bm F#m A D Bm F#m A

Vs 3
```
D          Bm                 F#m   A
Don't always dream for what you want
D          Bm                 F#m   A
But I love to watch good dancers talk
D          Bm            F#m   A
My heart is stronger than you all
D          Bm                 F#m   A
But I love to watch good dancers talk
Em  A  Em  A
(repeat ad lib and fade)
```

Heavy Heart

Words & Music Tim Rogers
© Copyright Festival Music Pty. Limited. International Copyright
Secured. All Rights Reserved. Used by Permission

Intro   C   E7   Am   C/G   D/F#   F   Fm

Vs 1   C   E7
        Been watching so much TV, I'm thinner than I should be
        F   Ab
        I'm like a waterlogged ball, that no-one wants to kick around anymore
        C   E7
        An all day morning hair-do, that no comb can get through
        F   Fm
        It's all granola and beer, and a calling card and a silk cut souvenir

Chorus C   E7   F
        I miss you like sleep
                C   E7   D7
        And there's nothing romantic about the hours I keep
        C   E7   F
        The morning's when it starts
           Fm
        I don't look so sharp, now I got a heavy heart

Vs 2   C   E7
        I talk a lot about football, and girls I kissed in Grade 4
        F   Ab
        I piss off my friends, I'm digging a hole just staring at the floor
        C   E7
        Now every t-shirt's got a wine stain, I'm loving cigarettes again
        F   Fm
        I know every tune about guys and girls and hurts and hearts and moans

Chorus C   E7   F
        I miss you like sleep
                C   E7   D7
        And there's nothing romantic about the hours I keep
        C   E7   F
        The morning's when it starts
           Fm   C
        I don't look so good, now I've got a heavy heart

Bridge   D7   Fm   Bb   C   G/B
        It's just a low rent paying, palpitating pulp inside my shirt
                  A7   Fm   C
        But there's a weight that's sitting, so hard, god it hurts
        E7   F   C   E7   F   G
        Oh it hurts

Vs 3   C   E7
        Been watching so much TV, I'm thinner than I should be
        F   Ab
        I'm like a waterlogged ball, that no-one wants to kick around anymore

Chorus C   E7   F
        I miss you like sleep
                C   E7   D7
        And there's nothing romantic about the hours I keep
        C   E7   F
        The morning's when it starts
        F   G   C
        Oh

Harpoon

Words & Music Vanessa Thornton, Brett Mitchell,
Kevin Mitchell and Chris Daymond
© Copyright Sony/ATV Music Publishing. International Copyright Secured. All
Rights Reserved. Used by Permission

Intro   E F# B B7 E F# B B7 E F# B B7 E F#

Vs 1   B   F#   E   B   F#   E
This will take some explaining but I think you will agree
B   F#   E   B   F#   E
There is no use pretending that there's hope for you and me

Chorus G#   E   B   C#   G#
   And I love her, but do you think she can see
           E   B   C#   G#
When I tell her,   it's the end for you and me
       E B   C#   G#
It was over,   ever since you went and shot me
           E
   Like a harpoon
G#   E
   Like a harpoon
G#   E   B   E F# B B7
   Like a harpoon in my heart...
       E   F#   B B7
Like a harpoon
       E   F#   B B7 E F#
Like a harpoon in my heart   yeah,

     B A B A B A B A B A

Vs 2   B   F#   E   B   F#   E
I can handle the fighting, it's the affection I can't stand
B   F#   E   B   F#   E
And I don't mind us talking, just don't try and touch my hand

Chorus G#   E   B   C#   G#
   And I love her, but do you think she can see
           E   B   C#   G#
When I tell her,   it's the end for you and me
       E B   C#   G#
It was over,   ever since you went and shot me
           E
   Like a harpoon
G#   E
   Like a harpoon
G#   E   B   E F# B B7
   Like a harpoon in my heart...
       E   F#   B B7
Like a harpoon
       E   F#   B B7 E F#
Like a harpoon in my heart   yeah,

     B A B A B A B A

Bridge G# E   C#   E A   B
   When you left, I said I want you back
G# E   C#
Now you're gone so won't you
B E   F#   E   B
   Come right back? Come right Back
E   F#   E   B
Come right back? Come right Back
E   F#   E   B
   Come right back? Come right Back
E   F#
Come right back?

Vs 3   B F#   E
           Why does it hurt?
       B   F#   E
       Simple matters don't seem worth
       B5   F#   E
          We are the same
       B   F#   E
       But it's not happening again

Chorus G#   E   B   C#   G#
          And I love her,   but do you think she can see
                 E   B   C#   G#
       When I tell her,   it's the end for you and me
              E B   C#   G#
       It was over,   ever since you went and shot me
              E
          Like a harpoon
       G#   E
          Like a harpoon
       G#   E   B   E F# B B7
         Like a harpoon in my heart...
              E   F#   B B7
       Like a harpoon
            E   F#   B B7 E F#
       Like a harpoon in my heart...

Helping Hand

Words & Music Paul Woseen
© Copyright Universal Music Publishing. International Copyright
Secured. All Rights Reserved. Used by Permission

```
Intro   Am G Dm F G  Am  G  Dm  F  G

Vs 1    Am       G   Dm           F  G
        Sometimes, things get a little hazy
        Am       G   Dm           F  G
        Sometimes, I think I'm just a little crazy
        Am  G                 Dm            F  G
            I don't even know my own name
        Am      G        Dm     F  G
        Soon all of me will go on up in flames

        Am  G  Dm  F  G

Vs 2    Am       G          Dm           F  G
        Wearing scars, on my arms and in my eyes
        Am      G       Dm          F  G
        Are you friends or enemies in disguise
        Am G         Dm           F       G
        So hard, when everything just runs against me
        Am      G          Dm        F  G
        Jealous words, turn into a love/hate frenzy

Chorus  C                  G
        Won't someone, please understand
        Am       F       G
        Won't someone, lend me a helping hand

        Am  G  Dm  F  G

Vs 3    Am          G     Dm             F  G
        Time is up, to the time that's left undone
                    Am          G        Dm        F  G
        Time to grab my hat, grab my coat, I gotta load my gun
        Am          G            Dm              F  G
        Silly things always always are the ones that turn out worst
        Am      G              Dm              F         G
        And it seems the ones that love you always hurt you the most

Chorus  C                  G
        Won't someone, please understand
        Am       F       G
        Won't someone, lend me a helping hand
        C               G
        Won't someone, please take the time to think
        Am              F              G                Am  G  Dm  F  G
        Your actions and words, they don't always say what they mean

        Am  G  Dm  F  G

Vs 4    Am       G       Dm          F     G
        Since I was a child, I used to dream of many things
        Am           G        Dm         F  G
        Superstars, the bizzare, kings and their pretty queens
        Am          G            Dm          F  G
        Now it seems, I need a shot, a drink to jog my thoughts
        Am              G            Dm       F     G
        Why does this happen all the time? Is it, is it just because
```

```
Chorus C              G
        Because no-one will understand
        Am           F      G
        Won't someone, lend me a helping hand
        C              G
        Won't someone, please take the time to think
        Am           F           G              Am  G  Dm  F  G
        Your actions and words, they don't always say what they mean
        Am  G                 Dm   F  G
            And you've always said,
              Am              G      Dm  F  G
        Why won't somebody say what they mean yeah

End     Am  G  Dm  F  G  Am
```

Hey Hey Baby

Words & Music Katrina Ljubicic,
Lucy Ljubicic and Alice McNamara
© Copyright BMG Music Publishing. International Copyright
Secured. All Rights Reserved. Used by Permission.

Vs 1   A   F#m
Saw him waiting for the train, I know someone he looks the same

That boy that's really in demand
A   F#m
And when I see him walking by he looks at me I catch his eye

I don't think that he understands
Bm   D   A   A#°
And I bet he's got a girl and she's always on time
Bm   D   A
But if he gives me just one chance I know I'll blow his mind
A   A#° Bm   D   A
Some girls try, some girls sigh, some girls let him pass them by
A#° Bm   D   A
But I wont, I'm gonna take my chance, I'm gonna say stop.
D   E
I say hey hey

Chorus A   E   Bm
Hey hey baby if you be my guy I'll be your girl
         E   A
Oh baby, show you all the lovin' in the world
         E   Bm
Hey baby if you be my guy I'll be your girl
         E   A   E   Bm E
Oh baby, show you all the lovin' in the world , in the world

   A D A E

Vs 2   A   F#m
I wanna make him look and see that he needs a girl like me

That's why I'm gonna sing this song
A   F#m
The other girls they don't compare , they wear extensions in their hair

I hope he doesn't get me wrong.
Bm   D   A   A#°
Quit trying to make it hard you know how this will end
Bm   D   A
Cause I'll be in your arms by the time this song ends
    A   A#° Bm   D   A
The girls that try, the girls that sigh, Baby just let them pass you by
        A#° Bm   D   A
They're not for you so take your chance when I say stop.

D   E
I say hey hey

Chorus A   E   Bm
Hey hey baby if you be my guy I'll be your girl
         E   A
Oh baby, show you all the lovin' in the world
         E   Bm
Hey baby if you be my guy I'll be your girl
         E   A
Oh baby, show you all the lovin' in the world ,
Repeat chorus x 3

Highly Evolved

Words & Music Craig Nicholls
© Copyright Mushroom Music. International Copyright
Secured. All Rights Reserved. Used by Permission

Vs 1   **Em**   **C**   **G**
        I'm feelin' happy, so highly evolved
        Em   **C**   **G**
        My times a riddle that'll never be solved
        Em   **C**   **G**
        Dreamin' for somethin', Reachin' for somethin'
        Em   **C**   **G A**
        Just waitin' for the sun to carry me in

Chorus **A**   **Bb A G A**
        If you feel low
        A   **Bb A**   **G A**
        You can buy love
        A   **Bb A**   **G A**
        From a payphone
        A   **B.....**
        I don't feel low

Vs 2   **Em**   **C**   **G**
        My brother Bill, he work for the market
        Em   **G**
        Life is an arrow now and he is the target
        Em   **C**   **G**
        Dreamin' for somethin', Reachin' for somethin'
        Em   **C**   **G A**
        Just waitin' for the sun to carry me in

Chorus **A**   **Bb A G A**
        If you feel low
        A   **Bb A**   **G A**
        You can buy love
        A   **Bb A**   **G A**
        From a payphone
        A   **B**
        I don't feel low

Bridge **E5 C G**
            Highly evolved
        E5   **C**   **G**
            Highly evolved
        E5   **C**   **G**
            Highly evolved
        E5   **C**   **G**   **G A**
            Highly evolved

        A Bb A G A
        A Bb A G A
        A Bb A G A
        A   **B**
        I don't feel low
        E5 C G   **E5**
            Highly evolved

Highway To Hell

Words & Music Ronald Scott,
Angus Young & Malcolm Young
© Copyright 1970 by J. Albert & Son Pty. Limited.
International Copyright Secured. All Rights Reserved.
Used by Permission

Intro   A D/F# G D/F# G D/F# G D/F# A

Vs 1   A   D D/F# G   D D/F# G
        Livin' easy,   livin' free,
        D D/F# G   D/F#   A
        Season ticket   on a one way ride
        A   D D/F# G   D D/F# G
        Askin' nothin,   leave me be.
        D D/F# G   D/F# A
         Takin' ev'rythin'   in my stride.

Vs 2   A   D D/F# G   D D/F# G
        Don't need reason,   don't need rhyme,
        D D/F# G   D/F#   A
         Ain't nothin'   I'd rather do.
        A   D D/F# G   D D/F# G
        Goin' down,   party time.
        D D/F# G   D/F#   E5
         My friends are gonna be there too.

Chorus   A   D/A G D/F# A   D/A
        I'm on a highway to hell,   I'm on a highway to hell
        G D/F#   A   D/A
        I'm on the highway to hell

Vs 3   A   D D/F# G   D D/F# G
        No stop signs,   speed limit,
        D D/F# G   D/F#   A
         Nobody's gonna slow me down.
        A   D D/F# G   D D/F# G
        Like a wheel,   gonna spin it..
        D D/F# G   D/F#   A
         Nobody's gonna mess me around

Vs 4   A   D D/F# G   D D/F# G
        Hey, Satan,   payin' my dues,
        D D/F# G   D/F#   A
         Playin' in a rockin' band.
        A   D D/F# G   D D/F# G
        Hey, momma,   look at me.
        D D/F# G   D/F#   E5
        I'm on my way to the promised land.

Chorus   A   D/A G D/F# A   D/A
        I'm on a highway to hell,   I'm on a highway to hell
        G D/F#   A   D/A Dsus4/A D/A
        I'm on the highway to hell mmm   Don't stop me!
        D/A Dsus4/A D/A Dsus4/A D/A

Solo   A D/F# G D/F# G D/F# G D/F# E5

Chorus   **A**   **D/A G D/F# A**   **D/A**
I'm on a highway to hell, I'm on a highway to hell
G D/F#   A   **G D/A**
I'm on the highway to ...

Chorus   **A**   **D/A G D/F# A**   **D/A**
I'm on a highway to hell, I'm on a highway to hell
G D/F#   A   **D/A**
I'm on the highway to hell, And I'm going down, all the way
A
  On the highway to hell.

Hold On To Me

Words & Music Joe Camilleri and Nick Smith
© Copyright Mushroom Music/Control. International
Copyright Secured. All Rights Reserved. Used by Permission

Intro   D A7sus4 D A7sus4 D A7sus 4 D A7sus4
        D G A D G A D G A D G A

Vs 1   D   G   A7sus4 D G   A7sus4
       We were dead on arrival,   safe home at last
      D G   A7sus4 D G   A7sus4
      No cannon-fire dockside, no flags half-mast
      D   G   A7sus4 D   G   A7sus4
      We were sold out for silver,   and a string of black pearls
      D   G   A7sus4 D   G   A7sus4
      On the loneliest island,   at the edge of the world

Chorus Am G/B   C   Am G/B C
      Like destiny's children, Souls lost at sea
      D   A7sus4 D   A7sus4
      No room on the lifeboat, you can hold on to me (hold on to me)
      D G A G   D G A
          You can hold on to me   (Hold on to me)
      D G A G   D G A
          You can hold on to me   (Hold on to me)

Vs 2   D   G   A7sus4 D   G   A7sus4
      Now the voyage is over,   we're back on dry land
      D   G   A7sus4 D   G   A7sus4
      In our eyes are the stories,   the rope and the brand

Chorus Am G/B   C   Am G/B C
      Like destiny's children, Souls lost at sea
      D   A7sus4 D   A7sus4
      No room on the lifeboat, you can hold on to me
      D   A7sus4 D   A7sus4
      No room on the lifeboat, you can hold on to me (hold on to me)
      D G A G   D G A
          You can hold on to me   (Hold on to me)
      D G A G   D G A
          You can hold on to me   (Hold on to me)

Inst   D A7sus4 D A7sus4 D A7sus 4 D A7sus4

Vs 3   D   A7sus4 D   A7sus4
      We were dead on arrival,   safe home at last
      D   A7sus4 D   A7sus4
      No cannon-fire dockside, no flags half-mast
      D   G   A7sus4 D   G   A7sus4
      We were sold out for silver,   and a string of black pearls
      D   G   A7sus4 D   G   A7sus4
      On the loneliest island,   at the edge of the world (hold on to me)
      D G A G   D G A
          You can hold on to me   (Hold on to me)
      D G A G   D G A
          You can hold on to me   (Hold on to me)

      D A7sus4 D A7sus4 D A7sus 4 D A7sus4

      D G A G   D G A
          You can hold on to me   (Hold on to me)
      (repeat and fade)

Holy Grail

Words & Music Mark Seymour
© Copyright Mushroom Music Pty. Limited. International Copyright Secured.
All Rights Reserved. Used by Permission

Intro   E A C#m B E A C#m B

Vs 1
```
E            A                 C#m    B
Woke up this morning, from the strangest dream
E              A          C#m     B
I was in the biggest army, the world has ever seen
E                  A           C#m     B     E  A  C#m  B
We were marching as one, on the road to the holy grail
```

Vs 2
```
E     A       C#m        B
Started out, seeking fortune and glory
E          A          C#m    B
It's a short song, but it's a hell of a story, when you
E          A                   C#m       B    E  A  C#m  B
Spend your lifetime trying to get your hands on the Holy Grail
```

B Sec
```
A                    C#m    B
But have you heard of the Great Crusade?
A                   C#m
We ran into millions, and nobody got paid
B        A             C#m        B
Yeah, we razed four corners of the globe, for the Holy Grail.
```

E A C#m B E A C#m B

Vs 3
```
E              A              C#m       B
All the locals scattered, they were hiding in the snow
E           A          C#m       B
We were so far from home, so how were we to know,
E                  A                 C#m      B    E  A  C#m  B
There'd be nothing left to plunder when we stumbled on the Holy Grail?
```

B sec
```
A                          C#m      B
We were full of beans but we were dying like flies
A                           C#m       B
And those big black birds, they were circling in the sky,
A                     C#m        B
And you know what they say, yeah, Nobody deserves to die.
```

E A C#m B E A C#m B

Bridge
```
        E         B/D#                 C#m     A                    E
Oh I, I've been searching for an easy way to escape the cold light of day
        B/D#              C#m     A              E  B/D#  C#m
I've been high, and I've been low  but I've got nowhere else to go
A                E  B/D#  C#m  A  E  A  C#m  B  E  A  C#m  B
There's nowhere else to go
```

B Sec.
```
A             C#m            B
I followed orders, God knows where I'd be
A                      C#m       B
But I woke up alone, all my wounds were clean
A      C#m      B
I'm still here I'm still a fool for the Holy Grail
E  A  C#m  B                      E  A  C#m  B
       Oh yeah, I'm a fool for the Holy Grail
```

E A C#m B E A C#m B
(repeat ad lib and fade)

The Honeymoon Is Over

Words & Music Perkins & Cruickshank
© Copyright Universal Music Publishing. International Copyright Secured. All Rights Reserved. Used by Permission

Intro   C7   F7   C7   F7   C7   F7   C7   F7

Vs 1   C7   F7
     Well you can't sleep in my bed no more, you can't a-ride in my car
     C7   F7
     I won't let you cook for me baby, it's never gonna get that far
     C7   F7
     I'm gonna send you back to wherever the hell it was you came
        C7   F7
     And then I'm gonna get this tattoo changed to another girl's name

Chorus F7
     Oh it ain't no fun no more, I don't know what to say
     Ab   Bb   C7
     The honeymoon is over baby, It's never gonna be that way again

     C7   F7   C7   F7

Vs 2   C7   F7
     Well you can't borrow my shirts no more, you can't a-make a-love to me
     C7   F7
     This ain't gonna be your gig no more, that's the way it's gonna be
     C7   F7
     I Shoulda left you baby, back in that last town
     C7   F7
     Cos the kind of fool you made me feel, I'll never live it down

Chorus F7
     Oh it ain't no fun no more, I don't know what to say
     Ab   Bb
     The honeymoon is over baby, It's never gonna be that way again

     C7   F7   C7   F7

     C7   F7   C7   F7
     Mow mama mow a mow a mow a mamama mow mama mow ma mow
     C7   F7   C7   F7
     Mow mama mow a mow a mow a mamama mow mama mow ma mow

     C7   F7   C7   F7

Vs 3   C7   F7
     Well you can't sleep in my bed no more, you can't a-ride in my car
     C7   F7
     I won't let you cook for me baby, it's never gonna get that far
     C7   F7
     I'm gonna send you back to wherever the hell it was you came
        C7   F7
     And then I'm gonna get this tattoo changed to another girl's name

Chorus **F7**
Oh it ain't no fun no more, I don't know what to say
Ab   **Bb**   **C7**
The honeymoon is over baby, It's never gonna be that way again

C7   F7   C7   F7

F7
Oh it ain't no fun no more, I don't know what to say
Ab   **Bb**   **C7**
The honeymoon is over baby, It's never gonna be that way again

Horror Movie

Words & Music Greg Macainsh
© Copyright 1974 Doo Dah Music. Mushroom Music Pty. Ltd. for
Australia and New Zealand. International Copyright Secured. All
Rights Reserved. Used by Permission

Chorus   E7   E7+9
      Watch horror movie right there on my TV
      E7
      Horror movie right there on my TV
                E7+9
      Horror movie right there on my TV
      A   A7   E7
      Shockin' me right outa my brain
      A   A7   E7
      Shockin' me right outa my brain

Chorus   E7   E7+9
      Watch horror movie right there on my TV
      E7
      Horror movie right there on my TV
                E7+9
      Horror movie right there on my TV
      A   A7   E7
      Shockin' me right outa my brain
      A   A7   E7
      Shockin' me right outa my brain

Vs 1   A   E
      It's bound to get ya in, get right under your skin, hit you right on the chin - oh yeah
       A   E
      It's bound to be a thriller, it's bound to be a chiller, it's bound to be a killer - oh yeah

Chorus   E7   E7+9
      Watch horror movie right there on my TV
      E7
      Horror movie right there on my TV
                E7+9
      Horror movie right there on my TV
      A   A7   E7
      Shockin' me right outa my brain
      A   A7   E7
      Shockin' me right outa my brain

Vs 2   A   E
      The planes are a-crashin, the cars are a-smashin, the cops are a-bashin - oh yeah
       A   E
      The kids are a-fightin, the fires are a-lightin, the dogs are a-bitin - oh yeah

Chorus   E7   E7+9
      Watch horror movie right there on my TV
      E7
      Horror movie right there on my TV
                E7+9
      Horror movie right there on my TV
      A   A7   E7
      Shockin' me right outa my brain
      A   A7   E7
      Shockin' me right outa my brain

Bridge **B**   **D9**
You think it's just a movie on silver screen
   E   **B**
And they're all actors and take on scenes
B   **D9**
Maybe you don't care who's gonna lose or win
E   **B**
Listen to this and I'll tell you somethin'

Chorus **E7**   **E7+9**
It's a horror movie right there on my TV
E7   **E7+5**
Horror movie right there on my TV
E7   **E7+9**
Horror movie and it's blown a fuse
E7
Horror movie, it's the six-thirty news

Horror movie, it's the six-thirty news

Vs 3   **A**   **E**
The public's waitin for the killin and the hatin, switch on the station - oh yeah
   A
They do a lotta sellin, between the firin and the yellin
           E
And you believe in what they're tellin - oh yeah

Chorus **E7**   **E7+9**
It's a horror movie right there on my TV
E7   **E7+5**
Horror movie right there on my TV
E7   **E7+9**
Horror movie and it's blown a fuse
E7
Horror movie, it's the six-thirty news

Horror movie, it's the six-thirty news
   A   **E7**
And it's shockin' me right outa my brain

Hourly Daily

Words & Music Tim Rogers
© Copyright Universal Music Publishing. International Copyright
Secured. All Rights Reserved. Used by Permission

Intro   Bm Bb+ D/A E/G# Gmaj7
         Bm Bb+ D/A E/G# Gmaj7 D G D

Vs 1   F#   G   D
Don't let there be something sour in my coffee.
             F#   G   D
There's fourteen year olds screaming get out of my country.
          F#   G   D
I won't let him rise just to say goodbye.
Gsus2 A/G Gsus2
Hourly, daily.

      Bm Bb+ D/A E/G# Gmaj7
      Bm Bb+ D/A E/G# Gmaj7 D G D

Vs 2   F#   G   D
The August cold brings something bad in his sock drawer.
        F#   G   D
There's too much hate covering up those once white walls.
        F#   G   D
I don't want my boy think that I'm only to avoid.
          Gsus2 A/G Gsus2
Tread safe hourly, daily.

G D/F# Em D D6
G D/F# Em D D6
G D/F# Em D D6
G D/F# Em D Gm

Bm   Bb+   D/A   E/G#   Gmaj7
He's the splitting image and the oldest of two.
      Bm   Bb+   E/G#   Gmaj7 D G D
Now what kind of mess have you gone and got yourself into?

          F#   G   D
Make a morning pledge to the hum of the city quiet.
          F#   G   D
Pray daybreak sun can fill up the halls of a sleepless night.
          F#   G   D
Bring one good face into this house today.
Gsus2 A/G Gsus2
Hourly, daily.

G D/F# Em D D6
G D/F# Em D D6
G D/F# Em D D6
G D/F# Em D Gm

Bm   Bb+   D/A   E/G#   Gmaj7
He's the splitting image and the oldest of two.
      Bm   Bb+   E/G#   Gmaj7
Now what kind of mess have you gone and got yourself into?
Bm   Bb+   D/A E/G# Gmaj7
He's the splitting image and the oldest of two.
      Bm   Bb+   E/G#   Gmaj7
Now what kind of mess have you gone and got yourself into?
      D
Oooh

Howzat!

Words & Music G. Porter & T. Mitchell
© Copyright 1976 Razzle Music. Administered by Rondor
Music (Australia) Pty. Limited. International Copyright
Secured. All Rights Reserved. Used by Permission

Intro   Eb   Gm

Vs 1   **Gm**
You told me I was the one
Ab
The only one who got your head undone
Bb   **C**
And for a while I believed the line that you spun
Gm
But I've been looking at you
Ab
Looking closely at the things you do
Bb   **C**
I didn't see it the way you wanted me to

Chorus   **Cm7**   **F**   **Dm7**
How how howzat, You messed about, I caught you out Howzat
Gm7   **Cm7**   **F**
Now that I found where you're at It's goodbye
          Cm7   **F   G**
Well howzat It's goodbye

Vs 2   **Gm**
You only came for a smile
Ab
Even though you're really not my style
Bb   **C**
I didn't think that you'd run me 'round like you do

Chorus   **Cm7**   **F**   **Dm7**
How how howzat, You messed about, I caught you out Howzat
Gm7   **Cm7**   **F**
Now that I found where you're at It's goodbye
          Cm7   **F   Cm   Dm   Eb   F   G   F/G**
Well howzat It's goodbye

Solo   Gm   Eb   Gm

Vs 3   **Gm**
Well I've been looking at you
Ab
Looking closely at the things you do
Bb   **C**
I didn't see it the way you wanted me to

Chorus   **Cm7**   **F**   **Dm7**
How how howzat, You messed about, I caught you out Howzat
Gm7   **Cm7**   **F   A**
Now that I found where you're at It's goodbye
          Dm7   **G**   **Em7**
How how howzat, You messed about, I caught you out Howzat
Am7   **Dm7**   **G**
Now that I found where you're at It's goodbye
          Dm7   **G   Dm   Em   F   G   A   Em/A**
Well howzat It's goodbye

I Send A Message

Words & Music Michael Hutchence
and Andrew Farriss
© Copyright Universal Music Publishing.
International Copyright Secured. All Rights
Reserved. Used by Permission

Intro   **Bb**

Vs 1   **C**
In the silence I think of you
                               Cm7
I send a message and hope it gets through
             C
Think of the distance, Think of the miles
                      Cm7
All of the valleys could take a while

Chorus **A**
I miss the people

I miss the fun

You're my apparition

She's my only one

Vs 2   **C**
And I imagine you're standing here
                        Cm7
It's subliminal so inspirational
          C
Men of the world for all the good reasons
                       Cm7
Take away the pain and drink the wine

Chorus **A**
I miss the people

I miss the fun

You're my apparition

She's my only one

Inst   **N.C. C**

Vs 1   **C**
Hey in the silence I think of you
                               Cm7
I send a message and hope it gets through
             C
Think of the distance, Think of the miles
                      Cm7
All of the valleys could take a while

Chorus **A**
I miss the people

I miss the fun

You're my apparition

She's my only one

End   **C**

It's A Long Way To The Top

Vs 1   **A**
Ridin' down the highway, goin' to a show

Stop in all the byways, playin' rock 'n' roll

Gettin' robbed, gettin' stoned

Gettin' beat up, broken boned

Gettin' had, gettin' took

I tell you folks, it's harder than it looks

Chorus   **A**   **G**   **D**   **A**
It's a long way to the top if you wanna rock 'n' roll
           A   **G**   **D**   **A**
It's a long way to the top if you wanna rock 'n' roll
           A
If you think it's easy doin' one night stands
D
Try playin' in a rock roll band
       G   **D**   **A**
It's a long way to the top if you wanna rock 'n' roll

Vs 2   **A**
Hotel motel, make you wanna cry

Lady do the hard sell, know the reason why

Gettin' old, Gettin' grey

Gettin' ripped off, under-paid

Gettin' sold, second hand

That's how it goes, playin' in a band

Chorus   **A**   **G**   **D**   **A**
It's a long way to the top if you wanna rock 'n' roll
           A   **G**   **D**   **A**
It's a long way to the top if you wanna rock 'n' roll
           A
If you wanna be a star of stage and screen
D
Look out it's rough and mean
       G   **D**   **A**
It's a long way to the top if you wanna rock 'n' roll

Solo   **A**

Chorus   **G**   **D**   **A**
It's a long way to the top if you wanna rock 'n' roll
           G   **D**   **A**
It's a long way to the top if you wanna rock 'n' roll
           G   **D**   **A**
It's a long way to the top if you wanna rock 'n' roll

         A
Well it's a long way
(repeat and fade ad lib)

Just Ace

Words & Music P. Jamieson
© Copyright Shock Music Publishing. International Copyright Secured. All
Rights Reserved. Used by Permission

Intro   G D Em C G D Em C
        G D Em C G D Em C

Vs 1   G   D   Em   C
Since since, since since you gone away
G D Em   C
I hope that you had a better day
G   D Em   C
Tried to call round the other day
G D   Em C
Instead I had a go-kart
G D Em C
           Go-kart
G D Em   C
Living in another space
G D Em C
            Mistake
G D Em C
            y-yeah

G D Em C G D Em C
G D Em C G D Em C

Vs 2   G D   Em   C
     I hope the police will go away
G D   Em   C
I hope the police will go away
G   D   Em C
Their sirens bug me
G   D Em   C
And so do all their radar's
G D Em C
           Radar's
G D Em   C
           Living in another space
G D Em C
           Mistake
G D Em   C
           Thanks I'm over it
G D Em C   G D Em C
          Yeah!   Yeah
G D Em C   G D Em C
          Yeah!   Yeah Yeah yeah yeh yeh yeah!

G D Em C G D Em C
G D Em C G D Em C

Vs 3   G   D   Em   C
Sweet child you're such a princess now
G D   Em   C
I love the rainbow on your brow
G D   Em C
I love your rainbow,
G D   Em C
Oh no it's winter
G D Em C
           Winter
G D Em   C
           Living in another space
G D Em C
           Mistake
G D Em   C   G
           Thanks I'm over it

Life Is Better
With You

Words & Music Kav Temperley,
Stuart MacLeod, Joel Quartermain
© Copyright Mushroom Music. International Copyright Secured.
All Rights Reserved. Used by Permission

Intro   Em A Em A

```
Vs 1   Em                      A
       Hey whatever happened to you last night
       Em                      A
       We thought we lost you there
       Em                      A
       Those long days, And long, long nights
       Em              A
       They keep you up inside
       Em              A
       Stay awake all night talking about our friends ,
            Em                        A
       It never ends, always do it when we're drunk
       Em                                             A
       I just need some kind of meditation keep my feet from ,
       Em              C  G/B  A
       Falling off the ground    La la
```

```
Chorus Gmaj7  A   Em7             A
       Life         Life is better with you, La la
       Gmaj7  A   Em7            C  G/B  A
       Life         Life is better with you,
```

```
Vs 2   Em                      A
       See the people on the street
       Em                  A
       Hear the sound of defeat
       Em                      A
       It just seems to me we know too many people
       Em                        A
       It makes the ones we love seem great, La la
```

```
Chorus Gmaj7  A   Em7             A
       Life         Life is better with you, La la
       Gmaj7  A   Em7            C  G/B  A
       Life         Life is better with you,
```

```
Bridge D                 A/D   Em            A
       It happens all the time, the people pass you by
       D                 A/D   Em                       A
       Like everyone you know , you are changing through and through
           Bb                  D
       You really didn't think it would last
           Em            A
       But that's all in the past, la la
```

```
Chorus Gmaj7  A   Em7             A
       Life         Life is better with you, La la
       Gmaj7  A   Em7            A
       Life         Life is better with you,
       Gmaj7            A      Em7            A
       See the people on the street , Hear the sound of defeat
       Gmaj7            A      Em7                  A
       Like everybody that you know ,Say they all want you to go
       Gmaj7  A   Em7             A
       Life         Life is better with you, La la
       Gmaj7  A   Em7            A
       Life         Life is better with you,
       (repeat chorus and fade)
```

Khe Sanh

Words & Music Don Walker
© Copyright 1977 Rondor Music (Australia) Pty. Limited. International
Copyright Secured. All Rights Reserved. Used by Permission

Ab Eb/G Fm Eb Db Ab/C Bbm Eb

Vs 1
   Fm   Db   Ab Absus4 Ab Eb/G
I left my heart to the sappers round Khe Sanh
     Fm   Db   Eb   Fm/Eb Eb
And I sold my soul with my cigarettes to the black market man
Edim   Fm   Db
I've had the Vietnam cold turkey
        Ab   Db
From the ocean to the Silver City
     Bbm   Gb   Eb Fm Eb/G Eb
And it's only other vets could understand

Vs 2
        Fm   Db   Ab Absus4 Ab Eb/G
About the long forgotten dockside guarantees
          Fm Eb Db   Eb/G Fm   Eb
How there were no V-day heroes in nineteen seventy three
Cm/G   Fm   Db
How we sailed into Sydney Harbour
     Ab   Db
Saw an old friend but couldn't kiss her
    Cm   Bbm   Eb   Ab Db Ab Eb/G
She was lined, and I was home to the lucky land

Vs 3
        Fm   Db   Ab Absus4 Ab Eb/G
And she was like so many more from that time on
     Fm   Eb Db   Eb   Fm/Bb Eb Edim
Their lives were all so empty, till they found their chosen one
       Fm   Db
And their legs were often open
     Ab   Db
But their minds were always closed
    Cm Bbm   Gb   Eb Fm/Eb Eb Edim
And their hearts were held in fast suburban chains

Vs 4
       Fm   Db   Ab   Absus4 Ab Eb/G
And the legal pads were yellow, hours long, pay packet lean
     Fm   Db   Eb   Fm/Bb   Eb Edim
And the telex writers clattered where the gunships once had been
     Fm   Db
But the car parks made me jumpy
    An   Db
And I never stopped the dreams
    Cm Bbm   Eb   Ab Db Ab
Or the growing need for speed and novacaine

Vs 5
     Fm   Db   Ab Absus4 Ab Eb/G
So I worked across the country from end to end
     Fm   Db   Eb   Fm/Bb Eb Edim
Tried to find a place to settle down, where my mixed up life could mend
     Fm   Db
Held a job on an oil-rig
     Ab   Db
Flying choppers when I could
Cm   Bbm   Gb   Eb Fm/Eb Eb Edim
But the nightlife nearly drove me round the bend

Vs 6
         Fm   **Db**   **Ab Absus4 Ab Eb/G**
And I've traveled round the world from year to year
       Fm   **Db**   **Eb**   **Fm/Bb Eb**
And each one found me aimless, one more year the worse for wear
     Edim   **Fm**   **Db**
And I've been back to South East Asia
     Ab   **Db**
But the answer sure ain't there
    Cm Bbm   **Eb**   **Ab Db Ab**
But I'm drifting north, to check things out again

Inst.   **Fm Db Ab Absus4 Ab Eb/G**
        Fm Db Eb Fm/Bb Eb Edim
        Fm Db Ab Db Cm Bbm Eb Ab Db Ab Eb/G

Vs 7
             Fm   **Db**   **Ab Absus4 Ab Eb/G**
You know the last plane out of Sydney's almost gone
        Fm   **Db**   **Eb**   **Fm/Bb Eb**
Only seven flying hours, and I'll be landing in Hong Kong
     Edim Fm   **Db**
There ain't nothing like the kisses
     Ab   **Db**
From a jaded Chinese princess
    Cm Bbm   **Gb**   **Eb Fm/Eb Eb Edim**
I'm gonna hit some Hong Kong mattress all night long

Vs 8
         Fm   **Db**   **Ab Absus4 Ab Eb/G**
Well the last plane out of Sydney's almost gone
         Fm   **Db**   **Eb Fm/Bb Eb**
You know the last plane out of Sydney's almost gone
   Edim Fm   **Db**
And it's really got me worried
     Ab   **Db**
I'm goin' nowhere and I'm in a hurry
    Cm Bbm   **Eb**   **Ab Eb/G**
And the last plane out of Sydney's almost gone

         Fm   **Db**   **Ab Absus4 Ab Eb/G**
Well the last plane out of Sydney's almost gone
         Fm   **Db**   **Eb Fm/Bb Eb**
You know the last plane out of Sydney's almost gone
   Edim Fm   **Db**
And it's really got me worried
     Ab   **Db**
I'm goin' nowhere and I'm in a hurry
    Cm Bbm   **Eb**   **Ab Db Ab Db Ab**
You know the last plane out of Sydney's almost gone

Leaps And Bounds

Intro   B E B E

Vs 1   B   E
        I'm high on the hill, looking over the bridge
          B   E
        To the M. C. G.
          B   E
        And way up on high the clock on the silo
           B   E
        Says eleven degrees
        B   E   B   E
        I remember I remember

Vs 2   B   E
        I'm breathing today the month of May
           B   E
        All the burning leaves
            B   E
        I'm not hearing a sound my feet don't even
        B   E
        Touch the ground
          B   E   B   E
        I remember I remember
          B   E
        I go leaps and bounds
          B   E
        I go leaps and bounds

Vs 3   G#m   F#
        Down past the river
           E   B
        And across the playing fields
        G#m   F#
        The fields are all empty
           E
        Only for the burning leaves
          B   E   B   E
        I remember I remember
        B   E
        I go leaps and bounds
        B   E
        I go leaps and bounds

Inst   G#m F# E B G#m F# E B E

Vs 4   B   E
        I'm high on the hill, looking over the bridge
           B   E
        To the M. C. G.
      B   E
        I'm stumblin' around, my feet don't even
      B   E
        Touch the ground

```
End     B       E    B       E
        I remember I remember
            B       E    B       E
        I remember I remember
        B               E
        I go leaps and bounds
            B                   E
        I go leaps and bounds
        B               E
        I go leaps and bounds
            B               E
        I go leaps and bounds
            B    E    B       E
        I remember I remember
            B       E    B       E
        I remember I remember
        B               E
        I go leaps and bounds
            B               E
        I go leaps and bounds
        B               E
        I go leaps and bounds
            B               E B
        I go leaps and bounds
```

Leaving Home

Words & Music Jebediah
© Copyright Sony Music Publishing Australia.
International Copyright Secured. All Rights Reserved.
Used by Permission.

```
Vs 1   G       C                   D
       Were you laughed at by your friends
       B7          Em          Am
       or were you lost for words when everybody
               C              G
       finally told you what they thought
       G           C
       You can't keep up with the trend
       B7                  Em  Am
       It makes you lose but somehow everybody
       C           G
       always makes up in the end

       A       C           G
       Oh was it something that I ate
       A       C           G
       Oh didn't even touch my plate
       A       C           G
       Oh suddenly I'm feelin' great
       A           C    Bb  G
       Do you let me know
```

```
Chorus G5    C5    B5    E5
       Leaving Home  life was never good to me
       G5    C5    B5    E5    D5
       Leaving Home  I smell the morning air
       G5    C5    B5    E5
       Leving Home  Life was never good
       B5    C5          Eb5  G5  D5  G5
       You can work it out we're leaving home
```

```
Vs 2   G       C                       D
       I could hear them through the door
       B7              Em          Am        C           G
       As people came in laughing at the way they acted when they were alone
       G       C           D       B7          Em
       And an argument can start with nothing more than this
          Am           C           G
       To be the light and leave you standing on your own

       A       C           G
       Oh, am I doing it again
       A       C           G
       Oh, I'm a loser now and then
       A       C           G
       Oh, and I smile at everything
       A           C  Bb  G
       Do you like me now
```

```
Chorus G5    C5    B5    E5
       Leaving Home  life was never good to me
       G5    C5    B5    E5    D5
       Leaving Home  I smell the morning air
       G5    C5    B5    E5
       Leving Home  Life was never good
       B5    C5          Eb5  G5  D5
       You can work it out we're leaving home
```

Inst   C5 D5 B5 E5   D5 C5 D5 B5 E5   D5

Bridge C5 D5   B5 E5
       Oh I like the life I find
       D5 C5   D5   B5   E5
       When I leave everything behind
       D5 C5   D5   B5   E5 D5
       I hope I'm sure I've made my mind to
       C5   D5
       Go   Leave home

Chorus G5   C5   B5   E5
       Leaving Home life was never good to me
       G5   C5   B5   E5   D5
       Leaving Home I smell the morning air
       G5   C5   B5   E5
       Leving Home Life was never good
       B5   C5   Eb5
       You can work it out
       G5   C5   B5   E5
       Leaving Home life was never good to me
       G5   C5   B5   E5   D5
       Leaving Home I smell the morning air
       G5   C5   B5   E5
       Leving Home Life was never good
       B5   C5   Eb5 G5 Eb5 G
       You can work it out we're leaving home

Left My Heart All Over The Place

Words & Music Tim Rogers
© Copyright Festival Music Pty. Limited.
International Copyright Secured. All
Rights Reserved. Used by Permission

Intro   Dsus4 D Dsus4 D Dsus4 D Dsus4 D

Vs 1
```
         D                A7sus4C#  Em7sus2
So I was talking with my friend over a glass or four
         D                A7sus4/C#        Em7sus2
She said it just don't seem like holding hands means anything anymore
    B7              A/G  G    A/G  G
But I'm here to say that it just couldn't be true
    F#7                              A/G  G      A/G
'Coz something shifts the floor every time I get on next to you
         D                A7sus4/C#  Em7sus2
So last night when I left my heart all over the place
         D              A7sus4/C#     Em7sus2
I just to try stop me thinking about every corner of your pretty face
    B7                       A/G  G A/G  G
I left it out all dressed like a christmas ham
      F#7                          A/G  G  A/G  G
Just to remind myself what a whining sack of shit I am
```

Chorus   Asus2 Em7
```
So hold my hand
    Bm                                A/G  G   A/G  G
I don't look pretty but I fall down often if you understand
          A              Em7
And let me plant this kiss right on you
      B7                           A/G  G   A/G   G
And nothing else but to keep the cold away for a minute or two
```

E/G# G G/F# G/E

```
         D        A7sus2/C#       Em7sus2
Well I smile coz it takes less muscle than a fore of the brow
D                Asus2/C#      Em7sus2
Swing it around like a meathook just to catch what else is falling down
B7              A/G  G  A/G  G
Even if it's all a hitch in a borrowed car
    F#7                         A/G  G  A/G  G
It's gonna take me blind and far away from where you are
           D        A7sus2/C#       Em7sus2
'Coz I've been working so hard on keeping my shoes there alone
          D              A7sus2/C#     Em7sus2
But you mess me on up with some rocket fuel a long long way from home
      B7                          A/G  G  A/G  G
So I leave myself all dressed like a christmas ham
    F#7                           A/G  G  A/G  G
To remind you what a showy sack of shit I am
```

Chorus   Asus2 Em7
```
So hold my hand
    Bm                                A/G  G   A/G  G
I don't look pretty but I fall down often if you understand
          A              Em7
And let me plant this kiss right on you
      B7                           A/G  G   A/G   G
And nothing else but to keep the cold away for a minute or two
```

E/G# G G/F# G/E
```
              Ah come on
```

Solo   D   A7sus4/C# Em7 D A7sus4/C3 Em7

       B7 A/G G A/G G F#7 A/G G A/G G

Vs 3   D   A7sus4   Em7
     Last night when I left my heart all over the place
          D   A7sus4   Em7
     Just to try to stop me thinking about each corner of your pretty face
      B7   A/G G A/G G
     But I'm here to say that it just couldn't be true
       F#7   A/G G A/G G
     But something just ain't letting me get on away from you

Ending A Em7 Bm A/G G A/G G x 4

       E/G# / G G/F# G/E x 2

       D

Lifeline

Words & Music Brooke Fraser
© Copyright Sony Music Publising. International Copyright Secured. All Rights Reserved. Used by Permission

Intro   Fm Db Eb Fm Db Eb

```
Vs 1    Fm          Db
        I have this sinking feeling
        Eb
        Something's weighing me down
        Fm          Db      Eb
        I am completely saturated
        Fm             Db
        The waves are crashing closer
        Eb
        My feet already drowned
        Fm          Db      Eb
        Doing the thing I said I hated

P.C.    Fm           Ab          Eb    Bbm7
        They've been swimming in the wrong waters
        Fm          Ab      Eb
        Now they're pulling me down
        Fm       Ab          Eb        Bbm7
        But I  am clinging to you, never letting go
                 Fm           Ab  Eb
        'Cos I know that you'll lift me out

Chorus  Bbm      Fm
        Have your way here
        Ab       Eb       Bbm    Fm7     Eb
        Keep me afloat 'cos I know I'll sink without you
        Bbm     Fm  Ab     Eb      Bbm Fm
        Take this ocean   of pain that is mine
        Eb
        Throw me a lifeline

Inst    Fm  Db  Eb

Vs 2    Fm           Db
        Wake up feeling convicted
        Eb
        I know something's not right
        Fm             Db           Eb
        Re-acquaint my knees with the carpet
        Fm        Db
        I have to get this out
        Eb
        'Cos it's obstructing you and I
        Fm          Db      Eb
        Dry up the seas that keep us parted

P.C.    Fm           Ab          Eb    Bbm7
        They've been swimming in the wrong waters
        Fm          Ab      Eb
        Now they're pulling me down
        Fm       Ab          Eb        Bbm7
        But I  am clinging to you, never letting go
                 Fm           Ab  Eb
        'Cos I know that you'll lift me out
```

Chorus **Bbm   Fm**
Have your way here
Ab   Eb   Bbm   Fm7   Eb
Keep me afloat 'cos I know I'll sink without you
Bbm   Fm Ab   Eb   Bbm Fm
Take this ocean   of pain that is mine
Eb
Throw me a lifeline

        Fm9

P.C.   **Fm   Ab   Eb   Bbm7**
They've been swimming in the wrong waters
Fm   Ab   Eb
Now they're pulling me down
Fm   Ab   Eb   Bbm7
But I am clinging to you, never letting go
        Fm
Cos I know-oh-oh-oh-oh-oh-oh-oh-oh-oh-oh-wo-wo-oh..

Bbm   Fm7 Ab Eb   Bbm Fm7 Eb
                'Cos I know   Yeah   that you'll

Chorus **Bbm   Fm**
Have your way here
Ab   Eb   Bbm   Fm7   Eb
Keep me afloat 'cos I know I'll sink without you
Bbm   Fm Ab   Eb   Bbm Fm Eb
Take this ocean   of pain that is mine

Bbm7 Fm7   Ab Eb
    I won't let go   I won't let go
Bbm7 Fm7   Ab Eb
    I won't let go   I won't let go

Bbm   Fm Ab   Eb   Bbm Fm
Take this ocean   of pain that is mine
Eb
Throw me a lifeline

Like A River

Words & Music Kasey Chambers
© Copyright 2004 Sony Music Publishing Australia. International Copyright Secured. All Rights Reserved. Used by Permission.

Vs 1
```
                              C
Sometimes you walk like an angel, sometimes you walk like a man

Sometimes you crawl like a baby, makes me forget who I am
              F                              C
Have you ever been held before, like honey to the bee
          F                    Gsus4  G
I've never been held before, like you hold me
```

Chorus
```
       C                            F
You make me feel like a river, like a water overflow
       C                              F
Wanna shout it out from the mountain, wanna sing it on the radio
       C                    F              C  F
I'll sell my soul like a sinner, if it means you'll never go
```

Vs 2
```
       C
I think the sun is finally rising, it's burning down because I miss you

I'm gonna walk right through the fire, 'cos all I wanna do is kiss you
F                   C              F                    Gsus4  G
Rain falls, won't wash this away, I'll build a stonewall to make you stay
```

Chorus
```
       C                            F
You make me feel like a river, like a water overflow
       C                              F
Wanna shout it out from the mountain, wanna sing it on the radio
       C                    F              C  F
I'll sell my soul like a sinner, if it means you'll never go
```

Inst
```
G  F  G  F  G  F  Gsus4
             Oh -
```

Chorus
```
       C                            F
You make me feel like a river, like a water overflow
       C                              F
Wanna shout it out from the mountain, wanna sing it on the radio
       C                    F              C  F
I'll sell my soul like a sinner, if it means you'll never go
     C  F
Never go
       C  F  C  F  C
Never go
```

Coda
```
Fsus4/C  C7  Fsus4  C7
(repeat and Fade – ad lib solo)
```

Like Wow – Wipeout

Words & Music Dave Faulkner
© Copyright Sony/ATV Music Publishing.
International Copyright Secured. All Rights
Reserved. Used by Permission

Vs 1   **N.C.**   E A E
I kiss the ground on which you walk,
N.C   E A E
I kiss the lips through which you talk,
N.C.   B   A   E A E
I kiss the city of New York where I first met you.
N.C.   E Asus4 E
You're my doll and don't forget it
N.C.   E Asus4 E
'Cos I'm the guy who will regret it.
N.C.   B D   E Asus4 E
I love you more than when I said it when I first met you.

Chorus **N.C.**   E D   E D   E D   E D
I love the way you talk, you walk, you smile, your style,
      A G   A G   E D   E D
Like now, Like, wow-wipeout! No doubt
F#   A   E A E
I was gone the moment I laid eyes on you.

Vs 2   **N.C.**   E A E
You'll never be a beauty queen
N.C.   E A E
Won't feature in no magazine
N.C.   B   A   E A E
But you're the best that's ever been. I'm glad that I met you.
N.C.   E Asus4 E
Take every day now as it comes,
N.C.   E Asus4 E
You take the cake I'll keep the crumbs.
N.C.   B   D   E A E
I only hear the sound of drums in my heart when I get you.

Chorus **N.C.**   E D   E D   E D   E D
I love the way you talk, you walk, you smile, your style,
      A G   A G   E D   E D
Your dress, your caress, Well, yes, yes, yes I'm impressed.
F#   A   E A E
And I was gone the moment I laid eyes on you

      E A   E
      E A   E
      A D   A
      E A   E
      B G   A

Chorus **N.C.**   F# E   F# E   F# E   F# E
I love the way you talk, you walk, your smile, your style,
      B A   B A   F# E F# E
Like now, Like, wow-wipeout! No doubt
     G#   B   F# E
That I was gone the moment I laid eyes
     F# E   F# E
on you.   I laid eyes on you
        F# E
I laid eyes   on you

Solo   F# E F# E F# E F# E

Last   F#   F# B F#

Live It Up

Words & Music Andrew Smith
© Copyright 2002 Universal Music Publishing. International Copyright
Secured. All Rights Reserved. Used by Permission

Intro: F# Bm C D

Vs 1   G
How can you see looking through those tears
       Em
Don't you know you're worth your weight in gold
D
I can't believe you're alone in here
     C
Let me warm your hands against the cold

Vs 2   G
A close encounter with a hardhearted man
        Em
Who never gave half of what he got
D
Has made you wish you'd never been born
    C
That's a shame cause you got the lot

Chrous G   Em D   C   G
Hey there you with a sad face, come up to my place and live it up
        Em   D   C   G
You beside the dance floor, what do you cry for let's live it up

Vs 3   G
If you smiled the walls would fall down
       Em
On all the people in this pickup joint
D
But if you laughed you'd level this town
    C
Hey lonely girl that's just the point

Chorus G   Em D   C   G
Hey there you with a sad face, come up to my place and live it up
        Em   D   C   G
You beside the dance floor, what do you cry for let's live it up

     F#   Bm
Just answer me the question why
     C   D
You stand alone by the phone in the corner and cry (hey baby)

Inst   G Em D C

Vs 4   G
How can you see looking through those tears
       Em
Don't you know you're worth your weight in gold
D
I can't believe you're alone in here
     C
Let me warm your hands against the cold

Vs 5 **G**
If you smiled the walls would fall down
            Em
On all the people in this pickup joint
D
But if you laughed you'd level this town
        C
Hey lonely girl that's just the point

Chorus **G**   **Em D**   **C**   **G**
Hey there you with a sad face, come up to my place and live it up
                    Em   D   **C**   **G**
You beside the dance floor, what do you cry for let's live it up

        G   **Em**   **D**   **C**
Let's live it up, live it up, Live it up
                    G   **Em**   **D**
Hey yeah you, with a sad face, come up to my place
                C   G/B   C/G   C6   C
Come up to my place baby

Chorus **G**   **Em D**   **C**   **G**
Hey there you with a sad face, come up to my place and live it up
                    Em   D   **C**   **G**
You beside the dance floor, what do you cry for let's live it up

Living In The Seventies

Intro   F#m   A   B
        F#m   A   B   F#m   A   B   F#m   A   B   A

Vs 1   F#m   A   B
I feel a little crazy
F#m   A   B
I feel a little strange
F#m   A   B
Like I'm in a pay phone
A   B
Without any change
F#m   A   B
I feel a little edgy
F#m   A   B
I feel a little weird
F#m   A   B
I feel like a schoolboy
A   C#
That's grown a beard

Chorus F#m
I'm livin' in the 70's
B
Eatin' fake food under plastic trees
D
My face gets dirty just walkin' around
E
I need another pill to calm me down

Vs 2   F#m   A   B
I feel a bit nervous
F#m   A   B
I feel a bit mad
F#m   A   B
I feel like a good time
A   B
That's never been had
F#m   A   B
I feel a bit fragile
F#m   A   B
I feel a bit low
F#m   A   B
Like I learned the right lines
A
But I'm on the wrong show

Chorus F#m   B
I'm livin' in the 70's, I feel like I lost my keys
D
I got the right day, got the wrong week
E
And I get paid for just bein' a freak
F#m   B
I'm livin' in the 70's, I'm livin' in the 70's
D   E
I'm livin' in the 70's, I'm livin' in the 70's

Inst   F#m   A   F#   A/B
       F#m   E   F#m   E   F#m   E   F#m   E
       B   A   B   A   B   A   B   A   B

Vs 3   **F#m**   **A B**
I feel a little insane
F#m   **A B**
I feel a bit dazed
F#m   **A B**
My legs are shrinkin'
A   **B**
And the roof's been raised
F#m   **A B**
I feel a little mixed up
F#m   **A B**
I feel a little queer
F#m   **A B**
I feel like a barman
A
That can't drink a beer

Chorus **F#m**   **B**
I'm livin' in the 70's, I just caught another disease
D   **E**
I'm livin' in the 70's, I'm livin' in the 70's
F#m   **B**
I'm livin' in the 70's, I'm livin' in the 70's
D   **E**
I'm livin' in the 70's, I'm livin' in the 70's
F#m   **B**
I'm livin' in the 70's, I'm livin' in the 70's
D   **E**
I'm livin' in the 70's, I'm livin' in the 70's
F#m   **B**
I'm livin' in the 70's, I feel like I lost my keys
D
I got the right day, got the wrong week
E
And I get paid for just bein' a freak
F#m   **B**
I'm livin' in the 70's, I'm livin' in the 70's
D   **E N.C**
I'm livin' in the 70's, I'm livin' in the 70's

F#m E C# B A E F#m

Look What You've Done

Intro   C

Vs 1   C   G
      Take my photo off the wall
               Am   Am/G F
      If it just won't sing for you
      C   G
      'Cause all that's left has gone away
              Am   Am/G D
      And there's nothing there for you to prove

Chorus F   G   C   C/B Am   Am/G
      Oh, look what you've done You've made a fool of everyone
      F   G   C   C/B   Am Am/G   D
      Oh well, it seems likes such fun, until you lose what you had won   hoo -

Vs 2   C   G
      Give me back my point of view
               Am   Am/G F
      'Cause I just can't think for you
      C   G
      I can hardly hear you say
             Am Am/G   D
      What should I do, well you choose

Chorus F   G   C   C/B Am   Am/G
      Oh, look what you've done You've made a fool of everyone
      F   G   C   C/B   Am Am/G
      Oh well, it seems likes such fun, until you lose what you had won
      Ab   Bb   F
      Fool of everyone
        Ab   Bb   F
      A fool of everyone
        Ab   Bb   C
      A fool of everyone

Vs 3   C   G
      Take my photo off the wall
               Am   Am/G F
      If it just won't sing for you
      C   G
      'Cause all that's left has gone away
              Am   Am/G   D
      And there's nothing there for you to do

Chorus F   G   C   C/B Am   Am/G
      Oh, look what you've done You've made a fool of everyone
      F   G   C   C/B   Am Am/G
      Oh well, it seems likes such fun, until you lose what you had won
      F   G
      Oh, look what you've done you've made a
      Ab   Bb   F
      Fool of everyone
        Ab   Bb   F
      A fool of everyone
        Ab   Bb   C
      A fool of everyone

Love Is In The Air

Words & Music George Young & Harry Vanda
© Copyright 1978 J. Albert & Son Pty. Limited.
International Copyright Secured. All Rights
Reserved. Used by Permission

Vs 1
```
     C                           Fmaj7
     Love is in the air, everywhere I look around
     C                           Fmaj7
     Love is in the air, every sight and every sound
          G          F     G              Am
     And I don't know if I'm being foolish, don't know if I'm being wise
              Ab7          C                G                 Dm7 G
     But it's something that I must believe in, and it's there when I look in your eyes
```
Vs 2
```
     C                           Fmaj7
     Love is in the air, in the whisper of the trees
     C                           Fmaj7
     Love is in the air, in the thunder of the sea
          G          F     G              Am
     And I don't know if I'm just dreaming, don't know if I feel sane
              Ab7          C                G                 Dm7 Fm6
     But it's something that I must believe in, and it's there when you call out my name
```

```
     G  G6  G7  G  G9  G7  G11  G7
```

Chorus
```
       C          Fmaj7
       Love is in the air
       C          Fmaj7
       Love is in the air
            Em  C
       Oh oh oh
            Am  Ab7  G
       Oh oh oh
```

Vs 3
```
     C                           F
     Love is in the air, in the rising of the sun
     C                           F
     Love is in the air, when the day is nearly done
          G          F     G              Am
     And I don't know if you're an illusion, don't know if I see it true
              Ab7          C                G                 Dm  G
     But you're something that I must believe in, and you're there when I reach out for you
```
Vs 4
```
     C                           Fmaj7
     Love is in the air, everywhere I look around
     C                           Fmaj7
     Love is in the air, every sight and every sound
          G          F     G              Am
     And I don't know if I'm being foolish, don't know if I'm being wise
              Ab7          C                G                 Dm7 G
     But it's something that I must believe in, and it's there when I look in your eyes
```

```
     G  G6  G7  G  G9  G7  G11  G7
```

Chorus
```
       C          Fmaj7
       Love is in the air
       C          Fmaj7
       Love is in the air
            Em  C
       Oh oh oh
            Am  Ab7  G
       Oh oh oh
```

Repeat Chorus and Fade

Lost Control

Words & Music P. Davern and P. Jamieson
© Copyright Shock Music Publishing. International Copyright
Secured. All Rights Reserved. Used by Permission

Intro   D   G   F#   F   D   F   F#   G   x 4

Vs 1   D   F
Times up yeah you should've known
D   F
Pretty little princess put it in a hole
D   F
Cold expect it's not a disease
D   F   G   F#F   D   F   F#   G
Can you take a photograph of us for them to see
D   F
Bam bam bam trick or treat want to stay
D   F
We can do it ours and you will do it your way
D   F
Not so bad if you follow the plan
D   G   F#   F   D   F   F#   G
Thats how it goes with your head in the sand

Chorus D   F   C   G
             We've already lost control
D   F   C   G
  Already lost control
D   F   C   G
            We've already lost control
F   C   G
Already lost control

Riff   D   G   F#   F   D   F   F#   G x4

Vs 2   D   F
Can't we join an army of you
      D   F
And help you out in battle defend your point of view
D   F
Turn tables it's just like you said
D   F   G   F#   F   D   F   F#   G
Now I'm in the army probably better off dead
D   F
Jam slam wham I forgot what to say
D   F
You can take the bows and ride along the highway
D   F
Just thought you maybe would understand
D   F
What goes down in a rock 'n' roll band

Chorus D   F   C   G
             We've already lost control
D   F   C   G
  Already lost control
D   F   C   G
            We've already lost control
F   C   G
Already lost control

Riff   D   G   G#   A
       D   C   D   A   C   D x4

Vs 3   D   F
No fun cause its all been done
D   F
Picture perfect prefect thinks he's f**king won
D   F
Read out the list and see if it's free
D   F   G F# F D F F# G
Now I'm in your photographs as pretty as can be
D   F
Wham Bam ma'am was it something I said
D   F
When inside a moment I talk above my head
D   F
I love shit when it gets outta hand
D   F   G F# F D F F# G
Smoke the grass quicker and then go rock the band

Chorus D   F C   G
        We've already lost control
      D F   C   G
     Already lost control
      D F C   G
        We've already lost control
      F   C   G
     Already lost control

      D G F# F D F F# G x 4

      D

Lovesong

Words & Music Amiel
© Copyright 2003 Festival Music Pty. Limited. International Copyright
Secured. All Rights Reserved. Used by Permission

Vs 1
```
Cadd9                  Am
Its one thing to ask why we break up, have you ever
Cadd9               Am
Wondered why it is we fall in love, can you tell me
G               F                        C
Do you know what it is you're looking for, what do we need
      G           Am                C
Can you tell me why I care, How is it that we heed
      G             Am
That voice that says I want you there
```

Chorus
```
C                         G/B
Thanks you've been fuel for thought
              Am          F
Now I'm more lonely than before
         C              G/B          Am
But that's okay I've just ready-made another stupid love song
      C              G/B
And thanks you've been fuel for thought
              Am          F
Now I'm more lonely than before
         C              G/B          Am
But that's okay I've just ready-made another stupid love song
```

Vs 2
```
Cadd9                       Am
In a single moment you might be perfect
Cadd9             Am
And sit in a window of my life But how much
G               F                              C
How much more would I yearn to see, what would I strive to hide
      G           Am                  C
Now there will be no compromise, so take it in your stride
      G           Am
I will leave you now with a smile
```

Chorus
```
C                         G/B
Thanks you've been fuel for thought
              Am          F
Now I'm more lonely than before
         C              G/B          Am
But that's okay I've just ready-made another stupid love song
      C              G/B
And thanks you've been fuel for thought
              Am          F
Now I'm more lonely than before
         C              G/B          Am
But that's okay I've just ready-made another stupid love song
```

Bridge
```
F                        G
Look into my eyes, ours is no love sacrifice
          Am
For it has helped us to grow
        F                           G
And I'm sorry I know just how far I have to go alone
```

Chorus **C**   **G/B**
Thanks you've been fuel for thought
                Am   **F**
Now I'm more lonely than before
              C   **G/B**   **Am**
But that's okay I've just ready-made another stupid love song
         C   **G/B**
And thanks you've been fuel for thought
                Am   **F**
Now I'm more lonely than before
              C   **G/B**   **Am**
But that's okay I've just ready-made another stupid love song
C   **G/B**   **Am**
I've just ready-made another love song
C   **G/B**   **Am**   **G** **Am**
Just ready-made another love song

The Loved One

Words & Music I. Clyne, R. Lovett & G. Humphreys
© Copyright 1966 Mushroom Music Pty. Limited for
The World. International Copyright Secured. All
Rights Reserved. Used by Permission

Intro   Ab C7 F Ab C7 F Bb D7 G

Vs 1   G   C   G
         Yonder she's walking, she comes my way
         C   G
         Her red dress on, her long black hair
         C
         Talking life, walking life
                  G
         Walking life, she comes to me

Chorus Ab   Db Eb Ab
         Oh baby I love you so
         Eb Ab Eb Ab
         I need you now
         Eb Db Eb Ab
         I   want you back
         Eb   Ab Eb Ab C7
         I can't go on

Bridge C7
         Hell's yours baby
         Ab F
         E- vil child
         Eb Ab   Eb Ab
         I've known you well
                      F
         And if you won't stay that's alright
         Ab   Eb Ab
         You want me again?
         F
         And you come to me
                          Bb D7 G
         Well, that's alright, that's alright

Vs 2   G   C   G
         Now she's gone, and walking away
         C   G
         Red dress on, Her long black hair
           C
         I love her so, now she'll come running
                     G   Ab
         Anytime I say well that's alright

Chorus Ab   Db Eb Ab
         Oh baby I love you so
         Eb Ab Eb Ab
         I need you now
          Eb Db Eb Ab
         I   want you back
          Eb   Ab Eb Ab C7
         I can't go on

         (repeat chorus and fade)

Lucid

Words & Music T. Perkins and M. Paterson
© Copyright Festival Music Pty. Limited/Control. International Copyright Secured. All Rights Reserved. Used by Permission.

Intro   **Am9　C　G　Am9　C　G Am9　C**

Vs 1
```
              G      Am9  C
If you know my trouble
                    G        Am9  C
Then you should sense my doubt
                G      Am9  C
Did I burst your bubble
                G    Bb  A  Am9  C
When I found you out
```

Vs 2
```
                 G  Am9  C
Can you hear me now
                  G  Am9  C
Because you're faded now
                G  Am9  C
Don't know what is true
                    G       Bb    A    Am9  C
Cause I can see right through you, I'm Lucid
```

Vs 3
```
                 G      Am9  C
Do you know who you are
                      G      Am9  C
And what would make with scar
                G          Am9  C
Did you give them my name
                G  Bb  A  Am9  C
When you were feeling the strain
```

Vs 4
```
                   G  Am9  C
But you don't ask why
                 G  Am9  C
Just let it pass you by
                      G  Am9  C
There's nothing you could do
                G       Bb      A
Cause I can see right through you, I'm Lucid
```

Inst   **C　Am　F　G　C　Am　F　G**
       C　Am　F　G　C　Am　F　Am9　C

Vs 5
```
                  G  Am9  C
So you found your glory
                 G  Am9  C
But I have my doubts
                  G  Am9  C
And I know your story
                 G  Bb  A  Am9  C
And the part you left out
```

Vs 6
```
                     G  Am9  C
And you're faded now
                  G  Am9  C
Like a low white lie
                  G      Am9  C
Like the friends you choose
                G       Bb      A  Am9  C
I can see right through you  I'm Lucid
```

Am9　C　G　Am9　C　G　Am9　C　G　Am9　C　G
(ad lib)
Bb　A　G

Message To My Girl

Words & Music Neil Finn
© Copyright Mushroom Music Pty. Limited for Australia
and New Zealand. International Copyright Secured. All
Rights Reserved. Used by Permission

Vs 1   Db7sus4   Db7
       I don't want to say I love you
       Db7sus4   Db7
       That would give away too much
       Bbm7   F7/A   Db/Ab F7/A
       It's Hip to be detached and precious
       Bbmin   Db7/B Eb
       The only thing you feel is vicious

Vs 2   Db7sus4   Db7
       I don't wanna say I want you
       Db7sus4   Db7
       Even though I want you so much
       Bbm   F7/A   Db/Ab F7/A
       It's wrapped up in conversation
       Bbm   Eb
       Whispered in a hush
         Gb   Ab7sus4
       Though I'm frightened by the word, think it's time that it was heard

Chorus   Db   Gb   Db   Abmin7
       No more empty self-possession, vision swept under the mat
         E   Gb   Db Db7sus4 Db Db7sus4
       It's no new years resolution, It's more than that

Vs 2   Db7sus4   Db7
       Now I wake up happy
       Db7sus4   Db7
       Warm in a lovers embrace
       Bbm   F7/A   Db/Ab F7/A
       No one else can touch us
       Bbm   Db7/B Eb
       While we're in this place
         Gb   Ab7sus4
       So I sing it to the world, simple message to my girl

Chorus   Db   Gb   Db   Abmin7
       No more empty self-possession, vision swept under the mat
         E   Gb   Db Db7sus4 Db Db7sus4
       It's no new years resolution, It's more than that

         Gb   Ab7sus4
       Though I'm frightened by the word, think it's time I made it heard
       Gb   Ab7sus4
       So I sing it to the world, simple message to my girl

Chorus   Db   Gb   Db   Abmin7
       No more empty self-possession, vision swept under the mat
         E   Gb   Db Db7sus4 Db Db7sus4
       It's no new years resolution, It's more than that

         Db   Gb   Db   Abmin7
       No there's nothing quite as real, as a touch of your sweet hand
         E   Gb   Db Db7sus4 Db Db7sus4
       I can't spend the rest of my life, buried in the sand.

       Db Db7sus4 Db Db7sus4
       (repeat and fade)

Monsters

Words & Music Paul Dempsey, Stephanie Ashworth & Clint Hyndman
© Copyright Mushroom Music Pty. Limited. International Copyright Secured.
All Rights Reserved. Used by Permission

Intro   A/D   F#m9   A/D   F#m9   A/D   F#m9   A/D

Vs 1
```
       A/D            F#m           E
I was hanging upside down from the overpass
            A/D         E          F#m
Waiting to discover something about the world
D             A/D             F#m          E
I couldn't get with the program and I couldn't listen to them
       D           E              F#m
It was like trying to think in reverse
D              F#m        E
And I don't want to slide into apathy
         D          E        F#m
And I don't want to die in captivity
D     D#dim     D       F#m      E
But these       monsters follow me around
    F#m         D           E        B
Hunting me down, trying to wipe me out
```

Chorus
```
A       G  B  A       G  B  A       G  B  A  G
Wipe me out,   wipe me out,   wipe me out,
```

Vs 2
```
           A/D       F#m      E
Yeah I was hiding away under water
           A/D        E          F#m
Waiting for distance and buying some time
D              A/D           F#m       E
Trying to be two hundred thousand years younger
           D          E          F#m
So i could excuse myself from humankind
D              F#m       E
'Cause I don't want to be a container
         D            E           F#m
Or a bastard with a ten page disclaimer
D     D#dim     D       F#m      E
But these       monsters spin me around
F#m          D              E        B
Get me down, just try and shut me out
```

Chorus
```
A       G  B  A       G  B  A       G  B  A  G  Em
Shut me out,   shut me out,   shut me out

D/F#          A   Em
Hold it in your hand
D/F#          A   Em
Hold it in your hand
```

Chorus
```
A       G  Bm  A       G  Bm  A       G  Bm  A      G  Bm
Shut me out,   shut me out,   shut me out    shut me out
```

```
(spoken over chorus) I was hiding away under water
Waiting for distance, waiting for time
And I don't want to slide into apathy and I don't
And I don't want to live in captivity
```

Chorus
```
A       G  Bm  A       G  Bm  A       G  Bm  A      G
Shut me out,   shut me out,   shut me out    shut me out
```

Most People I Know
Think That I'm Crazy

Words & Music Billy Thorpe
© Copyright Mushroom Music Pty.
Limited. International Copyright
Secured. All Rights Reserved.
Used by Permission.

Vs 1   Ab7sus4

Ab   Absus4 Ab   Db Ab Gb Eb7
Most people I know,   think that I'm cra - zy   and
Ab   Absus4 Ab   Db Ab Gb Eb7
I know at times   I act a little ha - zy   but
Ab   Absus4 Ab   Db Ab Gb Eb7
If that's my way   and you should know it   then
Ab   Absus4 Ab   Db Ab Gb Eb7
In every way   help me to show it

Ab Ab7sus   Ab Ab7sus4
      Ooo yeah,

Vs 2   Ab   Absus4 Ab   Db Ab Gb Eb7
For most of my life I've   lived a delus- ion   yes
Ab   Absus4 Ab   Db Ab Gb Eb7
Material gain has caused me confus - ion   but
Ab   Absus4 Ab   Db Ab Gb Eb7
Slowly in time I   learned that my place is   to
Ab   Absus4 Ab   Db Ab Gb Eb7
Tell all that I meet the glory that God is

Ab Ab7sus   Ab Ab7sus4
      Ooo yeah   And thats why

Vs 3   Ab   Absus4 Ab   Db Ab Gb Eb7
Most people I know,   think that I'm cra - zy   and
Ab   Absus4 Ab   Db Ab Gb Eb7
I know at times   I act a little ha - zy   but
Ab   Absus4 Ab   Db Ab Gb Eb7
If that's my way   and you should know it   then
Ab   Absus4 Ab   Db Ab Gb Eb7
In every way   help me to show it

Ab Ab7sus   Ab Ab7sus4 Ab
      Ooo yeah,

My Baby

Intro   C G Am Em F G C G
         C G Am Em F G C

```
F          C
My Baby, My Baby
F            G
My Baby, Yeah
```

Vs 1
```
   C                        G
I know this little girl she's quite a picture
   Am                 Em
I do my very best and more to keep her
F              G            C  G
She's got what it takes to warm my soul
```

Vs2
```
   C                      G
Well maybe it's because she wears no makeup
    Am                 Em
She doesn't think she's got the legs that shape up
F               G
She can't rock but boy she can roll
```

Chorus C   F   C   F   G7
```
I know I got my Baby, my Baby, my Baby Yeah
```

Bridge Am   G F
```
She's all that I need
            Fm7  F  G
Hanging around
Am             G/A
She's all that I want
   D7               F
She makes my world feel so good to me
```

Vs 3
```
   C                   G
We turn on in the most peculiar places
   Am                Em
And many people turn with bowed red faces
F              G
We don't care what they think all the same
```

Vs 4
```
C                   G
Got this little girl she's quite a picture
   Am              Em
Ain't no-one anywhere ever gonna steal her
F             G
She has won my heart I love her so
```

Chorus C   F   C   F   G7
```
I know I got my Baby, my Baby, my Baby Yeah
F                 C           F        G7
Talkin' 'bout my baby, she's my baby, my baby
(repeat and fade)
```

My Best Mistake

Words & Music J. Laffer, D. Wootton,
M. Wootton, P. Otway and J. Grigor
© Copyright Festival Music Pty. Limited.
International Copyright Secured. All Rights
Reserved. Used by Permission

Intro   A E A E A E C#m B A E F#m E

```
Vs 1   A         E          F#m
       I ain't so kind to wait
              C#m      B      A
       I don't like the idea of it all
                       E      F#m
       You leave me here sighing
              C#m      B       A
       Just trying to make sense of it all
                   G#m            A
       I guess I'm scared to watch this get old
              G#m  F#m  E
       So I won't let it  start

Vs 2   A          E          F#m
       I think we've half a chance
                  C#m  B      A
       Judging by all the people I've met
              E      F#m
       But I ain't so sure
                  C#m      B         A
       I could use one more face to forget
              G#m              A
       I'm only going leave you misled

Chorus A          E
       Let it go my way
       A          E
       Leave me in my place
                  B
       You know in a way
                       F#m        E
       You're still my best mistake

       A          E      F#m
       I ain't so used to it
              C#m      B         A
       I just keep her from thinking out loud
              E    F#m  C#m      B       A
       I say nothing that never could calm her down
                   G#m            A
       I'm just there to watch it go round

Chorus A          E
       Let it go my way
       A          E
       Leave me in my place
                  B
       You know in a way
                       F#m        E  C#m  G#m  F#m
       You're still my best mistake
```

My Girl

Words & Music Dave Faulkner
© Copyright Sony/ATV Music Publishing. International Copyright Secured.
All Rights Reserved. Used by Permission.

Intro   E A B A E

Vs 1
```
        E       A       B       A     E  A B A
Once a girl took my love until I couldn't give anymore
        E       A       B       A     E  A B A
Then I tried to pretend not to see what I couldn't ignore
```

Chorus
```
E    A      B    A F#m
My girl don't love me at all
E    A      B    A F#m
My girl don't love me at all
E    A      B    A    E  A B  A
My girl don't love me at all, anymore
```

Vs 2
```
        E       A       B       A       E A B A
I took her to the dance and then I didn't see her all night
        E       A            B      A E    A B A
Then a friend said he saw her with some other boy    just outside
        E       F#m     B       E      F#m      B
When I went out she was alone, she said "I would like to go home"
        E            A  B            A
I asked her "Who were you with", she said "No one"
E       A       B       A
I could tell that she lied...and a voice said inside
```

Chorus
```
E    A      B    A F#m
My girl don't love me at all
E    A      B    A F#m
My girl don't love me at all
E    A      B    A    E  A B  A
My girl don't love me at all, anymore
E    A   B          E A B
My girl don't, my girl don't love me
           E A B             E
She don't love me,   My girl don't love me
```

My Happiness

Words & Music Middleton, Coghill, Haug, Collins & Fanning
© Copyright Festival Music Pty. Limited. International Copyright
Secured. All Rights Reserved. Used by Permission

Vs 1
             Fmaj7   C   Fmaj7 C
I see your shadow on the street now
            Fmaj7   C   Fmaj7 C
I hear you push through the rusty gate
                Fmaj7   C   Fmaj7 C
Click of your heels on the concrete
                Fmaj7   C   Fmaj7 C
Waiting for a knock coming way too late
            Fmaj7   C   Fmaj7 C
It seems an age since I've seen you
                  Fmaj7   C   Fmaj7 C
Countdown as the weeks trickle into days

Bridge Em   Am
So you come in and put your bags down
      Em   Am
I know there's something in the air
      Em   G
How can I do this to you right now

If you're over there when I need you here

Chorus F   C   G F
My happiness is slowly creeping back
            C   G
Now you're at home
F   C   G
If it ever starts sinking in
   F   C   G
It must be when you pack up and go

Fmaj 7 C Fmaj7 C Fmaj 7 C Fmaj7 C

Vs 2
              Fmaj7   C   Fmaj7 C
It seems an age since I've seen you
                Fmaj7   C   Fmaj7 C
Countdown as the weeks trickle into days
              Fmaj7   C   Fmaj7 C
I hope that time hasn't changed you
              Fmaj7   C   Fmaj7 C
All I really want is for you to stay

Bridge Em   Am
So you come in and put your bags down
      Em   Am
I know there's something in the air
      Em   G
How can I do this to you right now

If you're over there when I need you here

Chorus F   C   G F
My happiness is slowly creeping back
            C   G
Now you're at home
F   C   G
If it ever starts sinking in
   F   C   G
It must be when you pack up and go

```
    F              C              G
I know I know I know what is inside
    F              C              G
I know I know I know what is inside
    F              C              G
I know I know I know what is inside
    F              C              G
I know I know I know what is inside
            G7
You're over there when I need you here
```

```
Chorus  F    C      G  F
        My happiness is slowly creeping back
            C        G
        Now you're at home
        F              C        G
        If it ever starts sinking in
            F                    C        G
        It must be when you pack up and go
```

        (repeat and fade)

My Island Home

Words & Music Neil Murray
© Copyright Rondor Music Australia Pty. Ltd.
International Copyright Secured. All Rights
Reserved. Used by Permission

Vs 1   D   G   D
I come from the salt water people, we always live by the sea
             D   G   D
They say home is where you find it, will this place ever satisfy me

Chorus   Bm A   D
My island home, my island home
             A G   D
My island home is waiting for me.
            Bm A   D
My island home, my island home
             A G   D
My island home is waiting for me.

Vs 2   D   G   D
Six years I have lived in the desert, every night I dreamt of the sea
            D   G   D
Now I'm down here living in the city with all of my family

Chorus   Bm A   D
My island home, my island home
             A G   D
My island home is waiting for me.
            Bm A   D
My island home, my island home
             A G   D
My island home is waiting for me.

Bridge   Bm   A   D
In the evening dry wind blows
                             G
From the hills and across the plains
Bm   A   D
I close my eyes and I'm standing
                    G
In a boat on the sea again
          Bm   A   D
And I'm holding that long turtle spear
                                   G
And I feel I'm close, to where it must be
                 Bm A   D
And my island home   is waiting for me

Vs 3   D   G   D
My Home is Australia. We are a land surrounded by sea
            D   G   D
Though I may travel far across the ocean, it will never forget me

Chorus   Bm A   D
And my island home, my island home
             A G   D
My island home is waiting for me.
            Bm A   D
My island home, my island home
             A G   D
My island home is waiting for me.

(repeat and fade)

The Nips Are Getting Bigger

Intro   G C D G C D

Vs 1   G   C   D
        Started out just drinking beer
         G   C   D
        I didn't know how or why or what I was doing there
        G   C   D
        Just a couple more made me feel a little better
         G   C   D
        Believe me when I tell you it was nothing to do with the letter

        G C D G C D

Vs 2   G   C   D
        Ran right out of beer, I took a look into the larder
        G   C   D
        No bones nothing I'd better go and get something harder
        G   C   D
        Back in a flash I started on a dash of Jamaica Rum
        G   C   D
        Me and Pat Malone, drinking on our own

Chorus G   C   D
        Oh, the nips are getting bigger
        G   C   D
        Oh yeah, the nips are getting bigger
        G   C   D
        Oh, the nips are getting bigger
        G   C   D
        Yeah, they're getting bigger

        G C D G C D

        G   C   D
        Sometimes I wonder what all these chemicals are doing to my brain
        G   C   D
        Doesn't worry me enough to stop me from doing it again
        G   C   D
        Wiping out brain cells by the million but I don't care
        G   C   D
        Doesn't worry me even though I ain't got a lot to spare

Chorus G   C   D
        Oh, the nips are getting bigger
        G   C   D
        Oh yeah, the nips are getting bigger
        G   C   D
        Oh, the nips are getting bigger
        G   C   D
        Yeah, they're getting bigger

        G C D G C D

Never Had So Much Fun

Words & Music Alex Feltham, Jason Whalley,
Lindsay MacDougall and Gordon Forman
© Copyright Sony/ATV Music Publishing. International Copyright
Secured. All Rights Reserved. Used by Permission.

Vs 1
      G
I smoked a pack of cigarettes before midday
  C   **D**
I coughed up a lung around one
  G   **C**
I can't see a thing through my eyes that sting
     D   **C**   **G**
I can't remember having so much fun

Chorus
      C   **D**   **G**
Well I've never had so much fun
    C   **D**   **Em**
No I've never had so much fun
C   **D**   **G**
I can't remember when I've ever had so much fun

Vs 2
  G
Can't drink the water in Sydney
C   **D**
Can't eat the food in Japan
G
Can't breath the air in Los Angeles
      C   **D**
But a million people think they can

Chorus
      C   **D**   **G**
Now I've never had so much fun
    C   **D**   **Em**
No I've never had so much fun
C   **D**   **G**
I can't remember when I've ever had so much fun

  G Em G D G D G

Vs 3
  G
These wankers filled up with hatred
C   **D**
Why expect any less
G
They can't decide about genocide
      C   **D**
I think it's time that they took a rest

Chorus
      C   **D**   **G**
Now I've never had so much fun
    C   **D**   **Em**
No I've never had so much fun
C   **D**   **G**
I can't remember when I've ever had so much fun

Inst   **G Em G D G Em G D G Em G D C D G**
       Em D C G Em D C G
       C D G C D Em C D

```
Vs 4      G
          I try to compensate blindly for mistakes
          C                 D
          Try to make things right
          G
          For all my redemption I've the best intentions
          C                       D
          But it's always ending up in a fight

Chorus          C        D        G
          Now I've never had so much fun
                C        D        Em
          No I've never had so much fun
          C                      D
          I can't remember when I've ever had so much
          C                      D
          I can't remember when I've ever had so much
          C                      D                    G   D   D#  E
          I can't remember when I've ever had so much fun
          C                      D                  G
          I can't remember when I've ever had so much  fun
```

No Aphrodisiac

Words & Music Tim Freedman, Matt Ford & Glen Dormand
© Copyright 1997 Black Yak/Mushroom Music Pty. Limited.
International Copyright Secured. All Rights Reserved. Used
by Permission.

Dm
A letter to you on a cassette
Bb
'cause we don't write anymore
Dm
gotta make it up quickly -
Bb
there's people asleep on the second floor

      Gm7   Am7   Bb
There's no aphrodisiac like loneliness
Gm   Am   Dm9 Bbmaj7 Dm9 Bbmaj7
Truth, beauty, and a picture of you.

        Dm
You'll be walking your dog in a few hours
Bb
I'll be asleep in my brother's house
Dm
You're a thousand miles away
   Bb
with food between your teeth

Gm   Am   Bb
Come up for summer, I've got a place near the beach
Gm   Am Dm
There's room for your dog

      Gm   Am   Bb
There's no aphrodisiac like loneliness
Gm   Am   Dm9 Bbmaj7 Dm9 Bbmaj7
truth, beauty, and a picture of you.

      Gm   Am   Bb
There's no aphrodisiac like loneliness
Gm   Am   Dm
truth, beauty, and a picture of you.
      Gm   Am   Bb
There's no aphrodisiac like loneliness
        Gm   Am   Dm Gm Am Dm Gm Am
Youth, truth, beauty, fame, boredom, and a bottle of pills

      Gm   Am   Dm
There's no aphrodisiac like loneliness
Gm   Am   Dm
You shouldn't leave me alone
      Gm   Am   Dm
There's no aphrodisiac like loneliness
Gm   Am   Dm
Bare feet like a tomboy, and a crooked smile

        Gm   Am   Dm
Truth, youth, beauty, fame, boredom, red hair, no hair, innocence,
      Gm Am   Dm
Saturday,   and a picture of you
Gm   Am   Dm
A letter to you on a cassette
Gm   Am   Bb
You shouldn't leave me alone

```
Gm                      Am                 Dm
Forty and shaved, sexy, wants to do it all day
      Gm                        Am                     Dm
with a gun-totin' trigger-happy trannie named Kinky Renee
      Gm                        Am
Tired teacher twenty-eight seeks regular meetings
   Dm
for masculine muscular nappy-clad brutal breeding
Gm                  Am
while his wife rough-wrestles with a puppy all
  Bb                               Gm
aquiver on a wine-soaked strobe-lit asiatic hall of mirrors
Am           Dm
and a dash of loneliness
      Gm       Am       Dm
There's no aphrodisiac quite like it


            Gm              Am                  Dm
Truth, youth, beauty, fame, boredom, red hair, no hair, innocence,
  Gm  Am                Dm
impunity, and a picture of you
        Gm          Am
I got a video setup me love you short time
Dm                                   Gm
she pay me suck his finger with some fine wine
   Am         Dm
and a dash of loneliness


            Gm              Am                  Dm
Truth, youth, beauty, fame, boredom, red hair, no hair, innocence,
            Gm          Am               Dm
awkwardness, impunity, and a picture of you.
```

No Tragedy

Words & Music Geoff Turner
© Copyright Rondor Music (Australia) Pty. Limited. International
Copyright Secured. All Rights Reserved. Used by Permission

Intro   Am C F C G/B

Vs 1   Am   C   F   C   G/B Am
       The rest of me, got the best of me, oh, I don't think I can wait.
       Am   C   F   C   G/B   Am
       To pacify not rectify, oh, I hope the mail's not late,
       Am   C   F   C/E   G   Am
       Nothing to gain, don't show the strain, silence now will seal your fate.
       Am   C   F   C/E   G   Am
       Two into five, hard to divide, there's no need to speculate.

Chorus Dm   C   Am   G
       It's no tragedy, oh oh oh, you can work it if you want to,
       Dm   C   Am   G
       It's no tragedy, oh oh oh, you can stretch it out to fit you.

Vs 2   Am   C   F   C/E   G   Am
       The water's deep, the talk is cheap, and the gauge is reading low,
       Am   C   F   C/E   G   Am
       The story goes or so it's told, arrived much too late for the show,
       Am   C   F   C/E   G   Am
       There's no way out, so if in doubt, fire at will as you go down.

Chorus Dm   C   Am   G
       It's no tragedy, oh oh oh, you can work it if you want to,
       Dm   C   Am   G
       It's no tragedy, oh oh oh, you can stretch it out to fit you.
       Dm   C   Am   G
       It's no tragedy, oh oh oh, you can work it if you want to,
       Dm   C   Am   G   G Bb
       It's no tragedy, oh oh oh, you can stretch it out to fit you.

       C   Gm   F
       Worryin' ain't good for you,
       C   Gm   F
       These things are sent to annoy you,
       C   Gm   Gm Bb
       Raise it up a pole, see if it flies.
       C   Gm   F
       Wonderin' will destroy you,
       C   Gm F
       If not then the paranoia,
       C   Gm Bb   Gm F
       Plug it in and see if it lights up.   Lights up.

       Am C F C/E G x 4

Chorus Dm   C   Am   G
       It's no tragedy, oh oh oh, you can work it if you want to,
       Dm   C   Am   G
       It's no tragedy, oh oh oh, you can stretch it out to fit you.
       Dm   C   Am   G
       It's no tragedy, oh oh oh, you can work it if you want to,
       Dm   C   Am   G
       It's no tragedy, oh oh oh, you can stretch it out to fit you.
       (repeat chorus and fade)

Not Pretty Enough

Words & Music Kasey Chambers
© Copyright 2001 Gibbon Music Publishing
Administered by Sony Music Publishing.
International Copyright Secured. All Rights
Reserved. Used by Permission

Chorus B   F#/A#   G#m   E
          Am I not pretty enough, Is my heart too broken
          B   F#/A#   G#m   E
          Do I cry too much   Am I too outspoken
          B   F#/A#   G#m   E
          Don't I make you laugh,   Should I try it harder
          B   F#/A#   E(add9)
          Why do you see right through me

Vs 1   B   F#   G#m7
          I live, I breathe, I let it rain on me

          I sleep, I wake, I try hard not to break

          I crave, I love, I've waited long enough

          I try as hard as I can

Chorus B   F#/A#   G#m   E
          Am I not pretty enough, Is my heart too broken
          B   F#/A#   G#m   E
          Do I cry too much   Am I too outspoken
          B   F#/A#   G#m   E
          Don't I make you laugh,   Should I try it harder
          B   F#/A#   E(add2)
          Why do you see right through me

Vs 2   B   F#   G#m7   E
          I laugh, I feel, I make believe it's real
          B   F#   G#m7   E
          I fall, I freeze, I pray down on my knees
          B   F#   G#m7   E
          I hope, I stand, I take it like a man
          B   F#   E(add9)
          I try as hard as I can

Chorus B   F#/A#   G#m   E
          Am I not pretty enough, Is my heart too broken
          B   F#/A#   G#m   E
          Do I cry too much   Am I too outspoken
          B   F#/A#   G#m   E
          Don't I make you laugh,   Should I try it harder
          B   F#/A#   E(add2)
          Why do you see right through me

Outro   B   F#/A#
          Why do you see, why do you see
                 G#m7   E(add9)
          Why do you see right through me?
              B   F#/A#
          Why do you see, why do you see
                 G#m7   E(add9)
          Why do you see right through me?
             B   F#/A#
          Why do you see, why do you see
                 G#m7   E(add9)
          Why do you see right through me?
             B   F#/A#
          Why do you see, why do you see
                 E(add9)
          Why do you see right through me?

Not The Same

Words & Music Cameron Baines, Grant Relf,
Tom Read, Ross Hetherington and Phil Rose
© Copyright Sony/ATV Music Publishing/ Shock Music
Publishing International Copyright Secured. All Rights Reserved.
Used by Permission

Intro   E C C#m A E C C#m A

Vs 1   E   G#
        Think of all the things I do, and I still hold the thought of you
            C#m   A
        With someone else I know its true so far away
        E   G#
        And I can only hold my breath, and start to die a lonely death
            C#m   A
        With you and me and all the rest so far away

        C#m   C#m/C F# C#m   C#m/C F# B
        Don't say I told you so, One thing you'll never   know

Chorus A   E   C#m   A
        You're not the same, you've changed, I don't need you anyway
        A   E   F#   B
        You're not the person that I believed in yesterday
        A   E   C#m   A
        You're not the same, you've changed, I don't need you anyway
        A   E   F#
        You're not the person that I believed in yesterday

        E C C#m A

Vs 2   E   G#
        I can't hold it back you see, I know it all comes back to me
          C#m   A
        You must have practiced hard to be so far away
        E   G#
        Never wanted me to show, just write me off I let you go
          C#m   A
        And now there's more for you to know, so far away
        C#m   C#m/C F# C#m   C#m/C F# B
        Don't say I told you so, One thing you'll never   know

Chorus A   E   C#m   A
        You're not the same, you've changed, I don't need you anyway
        A   E   F#   B
        You're not the person that I believed in yesterday
        A   E   C#m   A
        You're not the same you've changed, something's missing anyway
        A   E   F#
        You're not the person that I believed in yesterday, that I believed in yesterday

Inst   E A C#m A E A C#m A

        C#m   C#m/C F# C#m   C#m/C F# B
        Don't say I told you so, One thing you'll never   know

Chorus A   E   C#m   A
        You're not the same, you've changed, I don't need you anyway
        A   E   F#   B
        You're not the person that I believed in yesterday
        A   E   C#m   A
        You're not the same, you've changed, I don't need you anyway
        A   E   F#
        You're not the person that I believed in yesterday

        E C C#m A E C C#m A E E5 G#5 D#5 E

Older Than You

Words & Music Kav Temperley,
Stuart MacLeod and Joel Quartermain
© Copyright Mushroom Music. International Copyright
Secured. All Rights Reserved. Used by Permission

Intro   Eb Cm Bb Eb Cm Bb

Vs 1   Eb Cm   Gm   Bb
Oh inner city streets where I sleep
Eb Cm   Gm   Bb
I   watched her take this romance home to me, Oh

Chorus Ab   Bb
I believe in something more
    Eb   Eb/D   G7
I watched her heart through bathroom doors
     Ab Bb
It's true, eyes that are older than you

Eb Cm Bb Eb Cm Bb

Eb Cm   Gm   Bb
Oh echoes in the heart when we meet
Eb   Cm   Gm   Bb
I chose to take this moment to tell you I'm leaving, Oh

Chorus Ab   Bb
I believe in something more
    Eb   Eb/D   G7
I watched her heart through bathroom doors
    Ab Bb   Fm7   Bb
It's true, eyes that are older than you ooh ooh ooh
        Fm7   Bb
Older than you , ooh ooh ooh They're older than you
Fm7   Eb/G   Ab
I Watch her count it up on one hand
    Bb   Fm
Like lovers and ocean and land
    Eb/G
And it keeps on going
Ab   Bb
Over and over and over again

Eb   Cm   Gm Bb
  Do do do do do
Eb   Cm   Gm Bb
  Do do do do do   Oh

Chorus Ab   Bb
I believe in something more
    Eb   Eb/D   G7
I watched her heart through bathroom doors
    Ab   Bb
Oh I believe in something more
    Eb   Eb/D   G7
I watched her heart through bathroom doors
    Ab Bb   Ab   Eb Cm Bb Eb Cm Bb Eb
It's true, eyes that are older than you

Numb All Over

Words & Music by Dallas Crane
© Copyright J. Albert & Son Pty. Limited. International
Copyright Secured. All Rights Reserved. Used by Permission

Intro   **F#m**

Vs 1   **F#m**
Well I can't feel my own pulse beating

I'm down in the middle of the whole design
F#m   **F+**   **F#m7/E Bm**
When you gonna make it better
F#m
Can't see what it is you're all seeing

I don't feel the cold and I don't know why
F#m   **F+**   **F#m7/E Bm**
I wont blame it on the weather
F#m   **F+**   **F#m7/E Bm**
Come round here and make it better

Chorus   **D**   **C#m**
I'm numb all over and
    Bm7   **F#m**
I can't feel anything
    D   **C#m**
A strange kind of wonderful
      Bm   **C#sus4 C#**
La di dah dah dah dah, Lah dah dah dah

Vs 2   **F#m**
I see a broken man in the mirror

One part Jekyll, and one part Hyde
F#m   **F+**   **F#m7/E Bm**
When you comin round to see me
F#m
Can't feel the rhythm of my own pulse beating

I cross my fingers on the rolling dice
F#m   **F+**   **F#m7/E Bm**
When you coming over here to
F#m   **F+**   **F#m7/E Bm**
Tell me things will all get better

Chorus   **D**   **C#m**
I'm numb all over and
    Bm7   **F#m**
I can't feel anything
    D   **C#m**
A strange kind of wonderful
      Bm   **C#sus4 C#**
La di dah dah dah dah, Lah dah dah dah

Sower **Bm** **E** **Bm** **E** **Bm** **E** **Bm** **E**
                        Accel

Solo   **F#m**
Do do do do do do do do do
F#m
Do do do do do do do do do

Vs 3   **F#m**
Well I can't feel my own pulse beating

I'm down in the middle of the whole design
F#m   F+   F#m7/E Bm
Oh oh oh oh oh oh   oh oh
F#m
I can't feel my own pulse beating

One part Jekyll and one part Hyde
F#m   F+   F#m7/E Bm
Oh oh oh oh oh oh   oh oh

Chorus **D C#m**
               Oooh ooh
    Bm7 F#m
    Ooh   Oooh ooh
    D C#m
    Ooh   Oooh ooh
    Bm7 F#m
    Ooh   Oooh ooh
     D   **C#m**
I'm numb all over and
   Bm7   **F#m**
I can't feel anything
    D   **C#m**
A strange kind of wonderful
     Bm   **C#sus4 C#**
La di dah dah dah dah, Lah dah dah dah

    F#m F#m/F F#m7 F#m6 F#m

On My Mind

Words & Music B. Fanning, D. Middleton,
J. Collins, J. Coghill and I. Haug
© Copyright Festival Music Pty. Limited. International Copyright
Secured. All Rights Reserved. Used by Permission

Intro   A5

Vs 1   A5   G5   D5
       Baby I've got you on my mind, honey you won't ever know
       A5   G5   D5
       How much I need you by my side, promise you won't ever go
       A5   G5 D5
       I won't take no from you this time
       A5   G5   D5
       Baby I've got you on my mind

Chorus A5
       'Cause honey I've got to show (I won't wait for another day)
       A5
       Just what I can do (My heart died when you loosed the chains)
       D7
       Because I think I know (I won't wait for another day)
       D7
       What you are going through (My heart died when you loosed the chains)
      E5   D5   C5   E5   A5
       I hope you feel it the way I feel it, I hope you feel it the way I feel it too.

Inst   A5 G5 D5   A5 G5 D5
             I Feel it too

Vs 2   A5   G5   D5
       So if I had this all my way, honey you won't ever know
       A5   G5   D5
       I'd be there through every night and day, promise you won't ever go
       A5   G5 D5
       I won't hold back from you this time
       A5   G5   D5
       Baby I've got you on my mind

       A5
       'Cause honey I've got to show (I won't wait for another day)
       A5
       Just what I can do (My heart died when you loosed the chains)
       D7
       Because I think I know (I won't wait for another day)
       D7
       What you are going through (My heart died when you loosed the chains)
       E5   D5   C5   E5   A5
       I hope you feel it the way I feel it, I hope you feel it the way I feel it too.

       A5
       Babe I've got you on my mind,How much I need you by my side,

       I won't take no from you this time, Babe I've got you on my mind
       A5 G5 D5 A5 G5 D5
                   I tell you
       A5\   G5   D5
       I won't wait for another day, my heart died when you loosed the chains x4
       A5   G5 D5
       I got you, I got you on you my mind x2
                       A5
       Yeah honey I gotta show

Original Sin

Words & Music Michael Hutchence and Andrew Farriss
© Copyright Universal Music Publishing. International Copyright
Secured. All Rights Reserved. Used by Permission.

Intro   Em

Vs 1   Em   Bm
      You might know of the original sin
      Em   Bm
      And you might know how to play with fire
      Em   Bm
      But did you know of the murder committed,
      Em   Bm
      In the name of love – yeah, you thought what a pity

Chorus F#m   D A   Bm
      Dream on white boy, dream on black girl
      Em   G   D
      And wake up to a brand new day, to find your dreams have washed away

      F#m A D Dsus4 D/A

Vs 2   Em   Bm
      There was a time when I did not care
      Em   Bm
      And there was a time when the facts would stare
      Em   Bm
      There is a dream and it's held by many
      Em   Bm
      Well I'm sure you had to see, its open arms

Chorus F#m   D A   Bm
      Dream on white boy, dream on black girl
      Em   G   D
      And wake up to a brand new day, to find your dreams have washed away

      F#m A D Dsus4 D/A

Vs 3   Em   Bm
      You might know of the original sin
      Em   Bm
      And you might know how to play with fire
      Em   Bm
      But did you know of the murder committed,
      Em   Bm
      In the name of love – yeah, you thought what a pity

Chorus F#m   D A   Bm
      Dream on white boy, dream on black girl
      Em   G   D
      And wake up to a brand new day,

      F#m   D A   Bm
      Dream on white boy, dream on black girl
      Em   G   D
      And wake up to a brand new day, to find your dreams have washed away
      (repeat chorus ad lib and fade)

One In A Million

Words & Music Cameron Baines, Grant Relf,
Tom Read, Ross Hetherington and Phil Rose
© Copyright Sony/ATV Music Publishing/Shock Music
Publishing. International Copyright Secured. All Rights
Reserved. Used by Permission

Intro   C   F   Am   G x 4

Vs 1   C   G   Am   F
         Sometimes when I'm driving in my car, I wish that you could take the wheel
              Esus4   F   D7
         But you're not there, it's so unfair, what if I hit that dog again?
         C   G   Am   F
         Sometimes when I'm lying in my bed, I let those voices in my head
              Esus4   F   D7
         Influence me, to some degree, now I'm not sure of anything
         F   Em   F
         I wish you knew what I was thinking of

Chorus D   C   G
         They told me to breathe, they told me to lie down
         Am   F
         I figured it out, you're one in a million
            C   G
         'Cause I'm writing the words down
         Am   F
         I figure my chances are one in a million
            F   C
         And I don't know why, and I don't know where to begin

         C   F   Am   G x 4

Vs 2   C   G   Am   F
         Sometimes when I'm running out of cash, I'll jump a taxi in a flash
              Esus4   F   D7
         I know it's wrong his light was on, and I just had to get to you
         C   G   Am   F
         Sometimes when I'm talking on the phone, I get advice from the dial tone
              Esus4   F   D7
         It's nothing new and I'm confused, I know I'm losing my mind
         F   Em   F
         I wish you knew what I was thinking of

Chorus D   C   G
         They told me to breathe, they told me to lie down
         Am   F
         I figured it out, you're one in a million
            C   G
         'Cause I'm writing the words down
         Am   F
         I figure my chances are one in a million
            F   C
         And I don't know why, and I don't know where to begin

         C   Bb5   A5   F   G x4

Vs 3
```
     C          N.C.                    G              Am                  F
     Sometimes when I'm driving in my car, I wish that you could take the wheel
                Esus4        F            D7
     But you're not there, it's so unfair, what if I fall asleep again?
     C                            G              Am            F
     Sometimes when I'm lying in my bed, I let those voices in my head
                Esus4        F            D7
     Influence me, to some degree, now I'm not sure of anything
     F                    Em             F  C
     I wish you knew what I was thinking of
     F                    Em          F  C
     Don't believe what I've been thinking of
     C    Dm   F
     No chance (one in a million)x 4
     Em        Dm    C
     One in a million
```

Out Of Mind
Out Of Sight

Words & Music James Freud
© Copyright 1985 Mushroom Music Pty. Limited for The
World. International Copyright Secured. All Rights Reserved.
Used by Permission

Vs 1   B   A   E   B
      Hey hey honey when I'm without you, I get a chill up and down my spine
         B   A   E   B
      And I, I feel so hot and the pain won't stop, Tearing at this heart of mine
      E
      And I wouldn't have it, I know I can say
      F#
      I wouldn't have it any other way
          E7
      Do you like the way I love you when you turn out the light?
         B
      Do you like the way it feels when I hold you tight?
      E7
      Do you like the way I say I'm coming on home?
       B
      I take you when I want you when you're on your own

Chorus D   E   B
      Out of mind out of sight, gotta keep my body tight
      D   E   B
      Out of mind out of sight, gotta keep my body tight

      B   A   E   B
      Looking a little bit closer now, I've got something to say to you
        B   A   E   B
      And if your body touches me, I just don't know what I might do
      E7   B
      And so hold me honey, hit on the bed, I got notions in my head

Chorus D   E   B
      Out of mind out of sight, gotta keep my body tight
      D   E   B
      Out of mind out of sight, gotta keep my body tight

Vs 3   B   A   E   B
      Hey hey honey when I'm without you, I get a chill up and down my spine
         B   A   E   B
      And I, I feel so hot and the pain won't stop, Tearing at this heart of mine
      E
      And I wouldn't have it, I know I can say
      F#
      I wouldn't have it any other way
          E7
      Do you like the way I love you when you turn out the light?
         B
      Do you like the way it feels when I hold you tight?
      E7
      Do you like the way I say I'm coming on home?
       B
      I take you when I want you when you're on your own

Chorus D   E   B
      Out of mind out of sight, gotta keep my body tight   x 4

Passenger

Words & Music Fanning, Middleton, Haug, Collins & Coghill
© Copyright Festival Music Pty. Limited. International Copyright
Secured. All Rights Reserved. Used by Permission.

Intro   G   D/F#   Bm   Em   G   D/F#   Bm   Em

Vs 1   G   D/F#   Bm   Em
Caged, hold so tight until your knuckles show
     G   D/F#   Bm   Em
Escape as far away as you could ever know
                    C   Em
You sink them all down and watch them float up
     Bm   Em
Till the wheel has spun around
       Am
You will be bound by what you are
    F#   G   F#   G
You stand in the corner, your face stripped of colour
    F#
For what?

Chorus Bm   G   A
If you want to be a passenger
Bm   G   A
Climb aboard with me we're leaving now
Bm   G   A
Step outside and see another world
Bm   C#m   D A   D
Only if you want to be a passenger

Vs 2   G   D/F#   Bm   Em
Chained so many places you'd prefer to be
            G   D/F#   Bm   Em
Than framed   by a picket fence and salary
                 C   Em
You sink them all down and watch them float up
     Bm   Em
Till the wheel has spun around
       Am
You will be bound by who you are
      F#   G   F#   G   F#
You're tied to the corner, with your hope twisted under in knots

Chorus Bm   G   A
If you want to be a passenger
Bm   G   A
Climb aboard with me we're leaving now
Bm   G   A
Step outside and see another world
Bm   C#m   D A   D   F#
Only if you want to be a passenger   Aah

Bm   C#   D   A
Ooh -   la la la la la la la la la la la la la la
(repeat and fade)

Paco Doesn't Love Me

Words & Music Katrina Ljubicic, Lucy Ljubicic and Alice McNamara
© Copyright BMG Music Publishing. International Copyright
Secured. All Rights Reserved. Used by Permission.

Intro   **A5**

Paco doesn't love me!

A5 D5 E5 A5 D5 E5 F#5 D5 E5 A5

Vs 1   **A**   **D5**   **E5**
Hey there Paco you Italian fiend, why aren't you in love with me?
                    D5   **D5**
I've got a killer crush on you and it's something that I just can't endure
                    D5   **E5**
I know that Paco's kinda retarded, he's left me here all broken hearted
                 D5   **A5**
I want him to be my main man, he wants another girl to hold his hand.

Chorus **D5**   **E5**
So hey Paco baby don't you know you break my heart
     A5   **F#5**
So sugar do the right thing just come on be my retard
    D5   **E5**   **A5**
You're looking kinda cool I write your name on all my desks at school.
 D5   **E5**
I wanna see your band I wanna make you understand
   A5   **G#5**   **F#5** **E5**
That I wanna hold your hand
        D5   **E5**   **N.C**   **A**
But there's nothing I can do to convince you, 'casue Paco doesn't love me.

A5 D5 E5 A5 D5 E5 F#5 D5 E5 A5

Second verse, different from the first

Vs 2   **A5**   **D5**   **E5**
And you know I'm not the only one whose heart pounds when Paco plays his drums
                      D5   **A**
Cause he hits the skins as fast as Marky, I wish he'd hit my skin that quickly.
                      D5   **E5**
Hey there Paco you Italian fiend, why aren't you in love with me?
                    D5   **A5**
I've got a killer crush on you and it's something that I just can't endure

Chorus **D5**   **E5**
So hey Paco baby don't you know you break my heart
     A5   **F#5**
So sugar do the right thing just come on be my retard
    D5   **E5**   **A5**
You're looking kinda cool I write your name on all my desks at school.
 D5   **E5**
I wanna see your band I wanna make you understand
   A5   **G#5**   **F#5** **E5**
That I wanna hold your hand
        D5   **E5**   **N.C**   **A**
But there's nothing I can do to convince you, 'cause Paco doesn't love me.

Inst Cs **A D5 E5 A5 F#5 D5 E5 A5**

Hey ho, Paco!

D5 E5 A5 G#5 F#5 E5 D5 E5 N.C. A5

Chorus   **D5**   **E5**

So hey Paco baby don't you know you break my heart

      A5   **F#5**

So sugar do the right thing just come on be my retard

       D5   **E5**   **A5**

You're looking kinda cool I write your name on all my desks at school.

     D5   **E5**

I wanna see your band I wanna make you understand

      A5   **G#5**   **F#5** **E5**

That I wanna hold your hand

        D5   **E5**   **N.C**   **A5**

But there's nothing I can do to convince you, 'cause Paco doesn't love me.

Paco doesn't love me.

Pleasure And Pain

Words & Music Holly Knight and Mike Chapman
© Copyright 1985 The Maiki Publishing
Company Administered by Hebbes Music
Group. International Copyright Secured.
All Rights Reserved. Used by Permission

Intro   **Dm Am**

Vs 1   **Dm**   **C6**
Lover, Lover, why do you push,
Dm   **C6**
Why do you push, why do you push,
Dm   **C6**   **Dm C6**
Baby, Baby, did you forget about me,
Dm   **C6**
I've been standing at the back of your life,
Dm   **C6**
Back row, centre, just above the ice,
Dm   **C6**   **Dm**   **C6**
Please don't ask me how I've been getting off,
  Dm   **C6**   **Dm**
No, Please don't ask me, how I've been getting off,

Vs 2   **Dm**   **C6**
Break my body with the back of your hand,
Dm   **C6**
Doesn't make sense from where I stand,
Dm   **C6**   **Dm C6**
Baby, Baby, why you wanna mess it up,
Dm   **C6**
Sooner or later, I'll find my place,
Dm   **C6**
Find my body, better fix my face,
Dm   **C6**   **Dm**   **C6**
Please don't ask me how I've been getting off,
  Dm   **C6**   **Dm**
No, Please don't ask me how I've been getting off,

Chorus   **Dm**   **C**
It's a fine line between pleasure and pain,
       Dm   **C**
You've done it once, you can do it again,
    Dm   **C**
Whatever you done don't try to explain,
   Bb   **C**   **Dm**
It's a fine, fine line between pleasure and pain,

Dm C6 Dm C6 Dm C6 Dm C6
Dm C6 Dm C6 Dm C6 Dm C6
Dm C6 Dm C6

Chorus   **Dm**   **C**
It's a fine line between pleasure and pain,
       Dm   **C**
You've done it once, you can do it again,
    Dm   **C**
Whatever you done don't try to explain,
   Bb   **C**   **Dm**
It's a fine, fine line between pleasure and pain,

(repeat chorus and fade)

Power And The Passion

Words & Music Midnight Oil
© Copyright 1982 Sprint Music Administered by Sony/ATV
Music Publishing Australia. International Copyright
Secured. All Rights Reserved. Used by Permission

Vs 1   Bm   F#   Bm
        People, wasting away paradise
        Bm   F#   Bm
        Going backwards, once in a while, taking your time, give it a try
        Bm   F#   Bm
        What do you believe, what do you believe, what do you believe is true
        Bm   F#   Bm
        And nothing they say makes a difference each way, nothing they say will do
        D   E
        You take all the trouble that you can afford
        Em   Bm   Em   Bm
        At least you won't have time to be bored , at least you won't have time to be bored

Chorus Ebm   Db   Ebm9   Ebm   Db   Ebm
        Oh the power and the passion, oh the temper of the time
        Ebm   Db   Ebm9   Ebm   Db   Bm
        Oh the power and the passion, sometimes you've got to take the hardest line

Vs 2   Bm   F#   Bm
        Sunburnt faces around, with skin so brown
        Bm   F#   Bm
        Smiling, zinc cream and crowds, Sunday's the beach never a cloud
        Bm   F#   Bm
        Breathing eucalypt, pushing panel vans, stuffing much junk food, laughing at the truth,
        Bm   F#   Bm
        Cos Gough was tough 'til he hit the rough hey! Uncle Sam and John were quite enough
        D   E
        Too much of sunshine, too much of sky
        Em   Bm   Em   Bm
        It's just enough to make you want to cry , it's just enough to make you want to cry

Chorus Ebm   Db   Ebm9   Ebm   Db   Ebm
        Oh the power and the passion, oh the temper of the time
        Ebm   Db   Ebm9   Ebm   Db   Bm
        Oh the power and the passion, sometimes you've got to take the hardest line

Vs 3   Bm   F#   Bm
        I see buildings, clouding the sky in paradise
        Bm   F#   Bm
        Sydney, nights are warm, daytime tellie, blue rinse dawn
        Bm   F#   Bm
        Dad's so bad, he lives in the pub, with underarms and football clubs
        Bm   F#   Bm
        Flat chat, pine gap, in every home a Big Mac, and no one goes outback, that's that
        D   E
        You take what you get and get what you please
        Em   Bm
        Better to die on your feet than to live on your knees
        Em   Bm
        It's better to die on your feet than to live on your knees

Chorus Ebm   Db   Ebm9   Ebm   Db   Ebm
        Oh the power and the passion, oh the temper of the time
        Ebm   Db   Ebm9   Ebm   Db   Bm
        Oh the power and the passion, sometimes you've got to take the hardest line

Quasimodo's Dream

Words & Music Dave Mason
© Copyright Festival Music Pty. Limited.
International Copyright Secured. All Rights
Reserved. Used by Permission.

Vs 1   B   F+
Love won't annihilate hatred
    Eb
It builds you up 'til you've had enough,
Bb
Then won't let you be
B   F+
Fame, won't alleviate heartache
      Eb
Knocks at your door, gives you the score,
Bb
Then won't set you free

Chorus   Bbmaj7   Am
Oh I never wanted to be
A7   G7
Quasimodos's dream
G7 Bbmaj7   Am
Shall I beg the ringmaster please,
A7   G7
Find another me

Inst Vs B F+ Eb Bb
B F+ Eb Bb

Chorus   Bbmaj7   Am
Oh I never wanted to be
A7   G7
Quasimodos's dream
G7 Bbmaj7   Am
Shall I beg the ringmaster please,
A7   G7
Find another me

Vs 3   B   F+
Love won't annihilate hatred
    Eb
It builds you up 'til you've had enough,
Bb
Then won't let you be
B   F+
Fame, won't alleviate heartache
      Eb
Knocks at your door, gives you the score,
Bb
Then won't set you free

Chorus   Bbmaj7   Am
Oh I never wanted to be
A7   G7
Quasimodos's dream
G7 Bbmaj7   Am
Shall I beg the ringmaster please,
A7   G7
Find another me
(repeat chorus and fade)

Ride

```
Intro   C# E  F# C# E  F#
        C# E  F# C# E  F#
```

```
Vs 1    C#                              E  F#
        That's the start, the middle, and the end
        C#                           E  F#
        Aren't you glad the universe pretends
        C#                        E  F#
        If I don't get this message home
        C#                       E  F#
        Once again I'm gonna head along
```

```
Chorus  C#   A      C#  A
        Ride with me, ride with me
        C#   A      E  F#
        Ride with me home
        C#   A      C#  A
        Ride with me, ride with me
        C#   A      E  F#
        Ride with me unless you
```

```
        C#  G  C#  G  C# G  E  F#  x3
        C#  N.C.  C#  N.C.  C#  N.C  E  F#
```

```
Vs 2    C#                          E  F#
        Thought a lot ignored the right to be
        C#                       E  F#
        Lie me down because we like to see
        C#                       E   F#
        The colours through your loaded mind
        C#                          E  F#
        Climb the walls and liberate our time
```

```
Chorus  C#   A      C#  A
        Ride with me, ride with me
        C#   A      E  F#
        Ride with me home
        C#   A      C#  A
        Ride with me, ride with me
        C#   A      E  F#
        Ride with me home
```

```
Bridge  A  G                 F#
           I'm not waiting alone
        A  G                 F#
           I'm not waiting alone
```

```
Inst    C#  G  C#  G  C# G  E  F#  x3
        C#  N.C.  C#  N.C.  C#  N.C  E  F#
        C#  E  F# C#  E  F#
        C#  E  F# C#  E  F#
```

```
Chorus  C#   A      C#  A
        Ride with me, ride with me
        C#   A      E  F#
        Ride with me home
        C#   A      C#  A
        Ride with me, ride with me
        C#   A      E  F# C#
        Ride with me home
```

Rock 'n' Roll Ain't Noise Pollution

Words & Music Angus Young, Malcolm Young & Brian Johnson
© Copyright 1980 by J. Albert & Son Pty. Limited. International Copyright Secured. All Rights Reserved. Used by Permission.

Intro   E A E A E A E A E A E A E A E A E
          E5 A G5 E A G5 E5 A G5 E A G5 E5

Vs1   E   A
        Heavy decibels bells are playin' on my guitar
              E   A
        We got vibrations comin' up from the floor
                   E   A
        Well, just list'nin' to the rock that's givin' too much noise
            E   A
        Are you deaf you wanna hear some more
            E5   D5/A B   E5
        We're just talking about the future, forget about the past
               D5/A B   E5
        It'll always be with us, it's never gonna die, never gonna die

Chorus   A   G5 E5   A   G5 E
       Rock 'n' roll ain't noise pollution, Rock 'n' roll ain't gonna die
            A   G5 E5   A   G5 E
       Rock 'n' roll ain't noise pollution, Rock 'n' roll it will survive

Vs 2   E   A
        I took a look inside your bedroom door
        E   A
        You looked so good lyin' on your bed
        E   A
        Well I asked you if you wanted any rhythm and love
        E   A
        You said you wanna rock 'n' roll instead
            E5   D5/A B   E5
        We're just talking about the future, forget about the past
               D5/A B   E5
        It'll always be with us, it's never gonna die, never gonna die

Chorus   A   G5 E5   A   G5 E
       Rock 'n' roll ain't noise pollution, Rock 'n' roll ain't gonna die
            A   G5 E5   A   G5 E
       Rock 'n' roll ain't noise pollution, Rock 'n' roll is just rock 'n' roll

Solo   E A E A E A E G A E D/A A B E D/A A

Chorus E5   A   G5 E5   A   G5 E
       Rock 'n' roll ain't noise pollution, Rock 'n' roll ain't gonna die
            A   G5 E5   A   G5 E
       Rock 'n' roll ain't noise pollution, Rock 'n' roll is just rock 'n' roll
            A   G5 E5   A   G5 E
       Rock 'n' roll ain't noise pollution, Rock 'n' roll it'll never die
            A   G5 E5
       Rock 'n' roll ain't noise pollution,
            E7/A A
       Rock 'n' roll ,   Ah, Rock 'n' roll
                                E
       It's just a rock 'n' roll yeah!

Safe Forever

Intro   Am   C   G   F

Vs 1   **Am**
Quit analysing everything I say
                  C   G
Stop policing me (ooh ooh)
Am
You have nothing on me
               C   G   F
Blank page - funny that.(ooh ooh)

     Am   C   G   F
Vs 2   **Am**
Do you remember every word I say?
               C   G
Essentially yes (ooh ooh)
Am
Now stare right back at me
                    C   G   Am
You're blank faced - figured that. (ooh ooh)

Chorus **C5   B5   D5   A5**
Did it for you girl, I did it for you, did it for you, I did it for...
C5   B5   D5   A5   G5
Did it for you girl, I did it for you, did it for you, I did it for...

     Am   G   C   G   Am   G   C   G   F   Am

Chorus **C5   B5   D5   A5**
Did it for you girl, I did it for you, did it for you, I did it for...
C5   B5   D5   A5   G5
Did it for you girl, I did it for you, did it for you, I did it for...

     Am   G   F   Am   G   F
     C   G   Am   C   G   Am

Bridge **A5   G   C   G**
Safe forever, forever, stay forever, forever
A5   G   C   G
Safe forever, forever, stay forever, forever
A5   G   C   G
Safe forever, forever, stay forever, forever
A5   G   C   G
Safe forever, forever, stay forever, forever
A5
    Forever

Chorus **C5   B5   D5   A5**
Did it for you girl, I did it for you, did it for you, I did it for...
C5   B5   D5   A5   G5
Did it for you girl, I did it for you, did it for you, I did it for...
C5   G5   A5

Rollercoaster

Words & Music Dormand, Ford & Leggo
© Copyright Mushroom Music. International Copyright
Secured. All Rights Reserved. Used by Permission

Intro   G   C   G   C

Chorus G   C   G   C   G   C   G C
You're like a rollercoaster, toast ya in a big four-poster bed
G   C   G   C   G   C   G C
You're such a puddin' I shouldn't I couldn't, I'm a gorilla in a wooden keg

G   C
Cruise around town with the windows down
G   C
Shake it all 'round to the stereo sound
G   C
Cruise around town with the windows down
G   C
Shake it all round to the summertime sound

G   C   G   C   G   C   G C
You're like a rollercoaster, toast ya in a big four-poster bed
G   C   G   C
Hey ba da da da da da da, Say what?
G   C   G   C
Hey ba da da da da da da da, Say what?
N.C.
Hey ba da da da da da da da,

    G   C   G   C   G   C   G C
Say you're like a rollercoaster, toast ya in a big four-poster bed
     G   C   G   C   G   C   G C
Say you're like a rollercoaster, toast ya in a big four-poster bed

Bridge D   F   C   G
Baby, I can drive you crazy, baby
D   F   C   G
Maybe, maybe later you can meet my ol' lady baby
D   F   C   G
Baby I can drive you crazy, baby
D   F   C   G
Maybe, maybe you can meet my ol' lady,

She dig ya

G   C   G   C   G   C   G C
You're vine-ripened, I'm now frightened by the lightning in my legs
G   C   G   C   G   C   G
You're such a screamin' dream I'm leanin' to the demons in my head

G   C
Cruise around town with the windows down
G   C
Shake it all 'round to the stereo sound
G   C
Cruise around town with the windows down
G   C
Shake it all round to the summertime sound

G   C   G   C   G   C   G C
You're like a rollercoaster, toast ya in a big four-poster bed
   G   C   G   C   G   C   G C
Say you're like a rollercoaster, toast ya in a big four-poster bed

Bridge **D**   **F**   **C**   **G**
Baby, I can drive you crazy, baby
D   **F**   **C**   **G**
Maybe, maybe later you can meet my ol' lady baby
D   **F**   **C**   **G**
Baby I can drive you crazy, baby
D   **F**   **C**   **G**
Maybe, maybe later you can meet my ol' lady,

Chorus **G**   **C**   **G**   **C**   **G**   **C**   **G C**
You're like a rollercoaster, toast ya in a big four-poster bed
       G   **C**   **G**   **C**   **G**   **C**   **G C**
Say you're like a rollercoaster, toast ya in a big four-poster bed
         G   **C** **G**   **C**   **G**   **C**   **G C**
I said, You're like a rollercoaster, toast ya in a big four-poster bed
G   **C**   **G**   **C**   **G**   **C**   **G C**
You're like a rollercoaster, toast ya in a big four poster bed
     G
I said, You're like a rollercoaster, toast ya in a big four-poster bed

Run To Paradise

Intro   Bb F Eb F Bb F Eb

Vs 1   Bb F Eb   F   Bb   F Eb
Baby, you were always gonna be the one
F   Bb   F Eb   F   Bb F Eb
You only ever did it just for fun, but you run to paradise
Bb   F Eb F   Bb   F
Jenny,   I'll meet you at the grocery store
Eb   F   Bb   F Eb F   Bb F Eb
You don't need a friend when you can score, you run to paradise

Inst   Bb F Eb F Bb F Eb F Bb F Eb F Bb F Eb

Vs 2   Bb   F Eb   F   Bb   F Eb
Johnny,   we were always best of friends
F   Bb   F Eb   F   Bb F Eb
Stick together and defend, but you run to paradise
    Bb F Eb   F   Bb F Eb
And mamma, now don't you worry 'bout me anymore
F   Bb F Eb   F   Bb F Eb
When I see you crying at the door, when I run to paradise

Bridge   Eb
That's right, they had it all worked out
       F
You were young and blonde and you could never do wrong
Eb   F
That's right, they were so surprised, you opened their eyes up, opened their eyes up...

Chorus   Bb   F   Eb F Bb F   Eb F
You don't want anyone ,you don't want anyone
Bb   F   Eb F   Bb   Eb
Don't tell me,   this is paradise
Bb   F   Eb F Bb F   Eb F
You don't want anyone, you don't want anyone
Bb   F   Eb F   Bb F Eb
Don't tell me,   this is paradise

Bb   F Eb F   Bb   F Eb F
Good times,   why'd I let 'em slip away
           Bb   F Eb F   Bb F Eb
Why'd I let them slip away,   Cause I lived in paradise
Bb   F   Eb   F
        Run to paradise
Bb   F   Eb   F
        Run to paradise
Bb   F   Eb   F
        Run to paradise

Bridge **Eb**   **F**
Jesus says it's gonna be alright, he's gonna pat my back so I can walk in the light
Eb   **F**
You don't mind if I abuse myself, so I can hold my head up, hold my head up

Chorus **Bb F**   **Eb F Bb F**   **Eb F**
You don't want anyone ,you don't want anyone
Bb   **F**   **Eb F**   **Bb**   **Eb**
Don't tell me,   this is paradise
Bb   **F**   **Eb F Bb F**   **Eb F**
You don't want anyone, you don't want anyone
Bb   **F**   **Eb F**   **Bb F Eb**
Don't tell me,   this is paradise
(repeat chorus x 2 and fade)

Saturday Night

Words & Music Don Walker
© Copyright 1984 Burdikan Music Administered by Rondor
Music (Australia) Pty. Ltd. International Copyright Secured.
All Rights Reserved. Used by Permission.

```
Chorus  C            F  G  C
        Saturday night
                     F  G  C
        Saturday night
                     F  G  C
        Saturday night
                     F  G  C
        Saturday night


Vs 1         Fm              G
        Saturday night's already old
                     Bb/C        F
        Walking into Sydney, and I found
        Fm           G
        All desires are cold
                     Bb/C            F
        I could walk forever, I don't mind
                     Fm             G
        Show me a light, your company
                     Bb/C           F
        Goes a little way to help me see
             Fm                G
        The path on which I'm bound
                     Bb/C         F   Fm
        Rather than the things I leave behind


Bridge       Eb          Fm  Ab  Bb
        Got the keys to the city, Baby
             Ab      Bb
        I can feel my luck
             Ab      Bb         Ab
        I got two days' money, if you light me up
             Bb      Eb
        This heart will shine on


Vs 2    Fm                G
        "L'esclavage D'amour
        Bb/C             F
        It will be ours forevermore"
        Fm           G
        Words we both recall
                 Bb/C        F
        Either from a lover, or the law
        Fm                       G
        Saturday night, my steps have shown
                     Bb/C            F/A
        I can walk away from all I've known
             Fm                G
        Goodnight, my friend, goodbye
                     Bb/C
        Remember what they say,
                     F   Fm    Eb   Fm
        When you're alone, laugh or die
```

Inst   **Ab Bb Ab Bb Ab Bb Ab Bb Eb**

Chorus **F**   **Bb** **C** **F**   **Bb** **C**
      Saturday Night,   Saturday Night
      F   **Bb** **C** **F**   **Bb** **C**
      Saturday Night,   Saturday Night
      F   **Bb** **C** **F**   **Bb** **C**
      Saturday Night,   Saturday Night
      F   **Bb** **C** **F**   **Bb** **C** **F** **Gm**
      Saturday Night,   Saturday Night

Shine

Intro   E B/D# C#m A E B/D# C#m A

Vs 1   E   B/D#   C#m   E/B
You say that you never had a mum and nobody needs you ,
A E/G# F#m B
so cry,   so   cry
  E   B/D#   C#m   E/B
You believe that life rolls by just to deceive you,
A   E/G# F#m   B
By your time, by your time
E   B/D#   C#m   E/B   A
You're getting old , and the longer you take the slower your pain will grow
    E/G# F#m B
It will grow, it will grow
E   B/D#   C#m
You can close your eyes and hope that when you open them
     E/B   A   E/G# F#m   B
You've got a brand new life, friend you'll find, you can't hide?

Chorus E   F#m A   E/B B
You can give your life,   you can lose your soul
E   F#m   A   E/B B
You can bang your head or you can drown in hole
E   F#m   B   C#m
Nothing lasts forever, but you can try
F#m   A   E/B   B
Look around you, everyone you see, everyone you know is gonna

E B/D# C#m A E B/D# C#m A
Shine

E   B/D# C#m   E/B
Grow up and make the best of what you've got,
A   E/G# F#m   B
Of what you've got,   of what you've got
E   B/D#   C#m   E/B   A
The days are going by and you're sittin' on your arse and you're wondering why,
E/G# F#m B
Why, why, yeah

Chorus E   F#m A   E/B B
You can give your life,   you can lose your soul
E   F#m   A   E/B B
You can bang your head or you can drown in hole
E   F#m   B   C#m
Nothing lasts forever, but you can try
F#m   A   E/B   B
Look around you, everyone you see, everyone you know is gonna
E F#m A E/B B
Shine
E   F#m   A   E/B B
You can bang your head or you can drown in hole
E   F#m   B   C#m
Nothing lasts forever, but you can try
F#m   A   E/B   B
Look around you, everyone you see, everyone you know is gonna

Bridge E   B/D#   C#m   A
You say that you never had a mum and nobody needs you, so cry, so cry, so cry
E   B/D#   C#m   A
You believe that life rolls by just to deceive you by your time, well by your time
E   B/D#   C#m   A
You're getting old and the longer you take the slower your pain will grow,
                                E
It'll grow, it'll grow
        B/D#   F#m7
You can close your eyes and hope that when you open them,

You've got a brand new life

Chorus E   F#m   A   E/B   B
You can give your life,   you can lose your soul
E   F#m   A   E/B   B
You can bang your head or you can drown in hole
E   F#m   B   C#m
Nothing lasts forever, but you can try
F#m   A   E/B   B
Look around you, everyone you see, everyone you know is gonna
E   F#m A E/B   B
Shine
E   F#m   A   E/B   B
You can bang your head or you can drown in hole
E   F#m   B   C#m
Nothing lasts forever, but you can try
F#m   A   E/B   B
Look around you, everyone you see, everyone you know is gonna

Outro   E   B/D# C#m   A
Shine,
E   B/D#
Don't don't, don't don't you do it
A   E
Oh no oh no oh no Shine

The Ship Song

Words & Music Nick Cave
© Copyright Mushroom Music. International Copyright
Secured. All Rights Reserved. Used by Permission

Intro   G D C G D

Chorus   G   D   C   G   D
Come sail your ships around me, and burn your bridges down
G   D   C   G   D
We make a little history, baby, every time you come around
G   D   C   G   D
Come loose your dogs upon me, and let your hair hang down
G   D   C   G   D
You are a little mystery to me, every time you come around

Vs 1   C   G   D
We talk about it all night long
C   G   D
We define our moral grounds
Em   G
But when I crawl into your arms
C   G   D
Everything comes tumbling down

Chorus   G   D   C   G   D
Come sail your ships around me, and burn your bridges down
G   D   C   G   D
We make a little history, baby, every time you come around

Vs 2   C   G   D
Your face has fallen sad now
C   G   D
For you know the time is nigh
Em   G
When I must remove your wings
C   G   D
And you, you must try to fly

Chorus   G   D   C   G   D
Come sail your ships around me, and burn your bridges down
G   D   C   G   D
We make a little history, baby, every time you come around
G   D   C   G   D
Come loose your dogs upon me, and let your hair hang down
G   D   C   G   D
You are a little mystery to me, every time you come around

Chorus   G   D   C   G   D
Come sail your ships around me, and burn your bridges down
G   D   C   G   D
We make a little history, baby, every time you come around
G   D   C   G   D

Inst   G D C G D
(repeat and fade)

Shivers

Words & Music Rowland S. Howard
© Copyright Mushroom Music Pty. Limited. International Copyright Secured. All
Rights Reserved. Used by Permission.

```
Intro   A  E  D  E  A  E  D  E
        A  E  D  E  A  E  D  E
```

```
Vs 1    A                 E D      E  A
        I've been contemplating    suicide,
                          E D      E  A
        But it really doesn't    suit my style.
                          E D        E  A
        So I think I'll just act   bored instead,
                            E D          E  A
        And contain the blood I    would've shed.
                          E D        E  A
        She makes me feel so     ill at ease,
                   E D            E  A
        My heart is really    on its knees.
                       E D       E  A
        But I keep a poker face so well,
                       E D
        That even mother couldn't tell.
```

```
Chorus  E       A        E   D
        But my baby's so vain, she is almost a mirror.
        E       A            E      D
        And the sound of her name, sends a, a nervous shiver
        E       A            E D
        Down my Spi  yi yi yi yi yi yi yi yine,
        E       A               E D  E
        Down my Spi  yi yi yi yi yi yi yi yine,
```

```
Inst    A  E  D  E  A  E  D  E
```

```
Vs 2    A              E D          E  A
        I keep her photograph against my heart,
                       E D            E  A
        For in my life she plays the starring part.
                       E D     E  A
        Our love could hold off  cigarettes,
                       E D     E  A
        There's no room for cheap regrets.
                       E D        E  A
        She makes me feel so     ill at ease,
                   E D           E  A
        My heart is really    on its knees.
                       E D       E  A
        But I keep a poker face so well,
                       E D
        That even mother couldn't tell.
```

```
Chorus   E  A              E D
        But my baby's so vain, she is almost a mirror.
           E  A              E D
        And the sound of her name, sends a, permanent shiver
              E  A           E D
        Down my Spi  yi yi yi yi yi yi yi yine,
              E  A           E D
        Down my Spi  yi yi yi yi yi yi yi yine,
        A            E D  E
        Spi  yi yi yi yi yi yi yi yine,
        A            E D  E
        Spi  yi yi yi yi yi yi yi yine,
```

```
Inst    A  E  D  E  F#m
```

Sit On My Knee

Words & Music Dallas Crane
© Copyright J. Albert & Son Pty. Limited.
International Copyright Secured. All Rights
Reserved. Used by Permission.

Intro   E7

Vs 1   E7
        Just in time my love

        Made a wish tonight

        This old daddy's gonna
                                    Bb G   E
        Keep you away from nasty Satan
        E7
        Kiss this on the lips

        And leave a swig for me

        I'm so glad you could

        Come on over and

Chorus A   G E
        Sit on my knee
              A   G   E
        And fall in love with me
        A   G E
        Hey it's alright
                   A   G E
        I can sit here all night

Inst   E7

Vs 2   E7
        I'm the araldite

        On your broken dream

        I'm the green percent

        In your nicotine

        I'm your friend for life

        And I cross my heart

        And it's fair to say we

        Made a good start

Chorus A   G E
        Sit on my knee
              A   G   E
        And fall in love with me
        A   G E
        Hey it's alright
                   A   G E
        I can sit here all night

Solo   A7 E7 A7 E7

Bridge **E7**
Mmm - Oh Yeah, Come on now

Sit on my Knee, Come on over

I want you to sit on my knee, Come on over

E   D/E
Ah
E   D/E
Ah

Chorus **A   G   E**
Sit on my knee
     A   G   E
And fall in love with me
A   G   E
Hey it's alright
     A   G   E
I can sit here all night

  Bb   G   E7   Bb   G   E7
Outro   Sit on my Knee
  Bb   G   E7   Bb   G   E7
Sit on my   All Night

So Beautiful

Words & Music Pete Murray
© Copyright 2003 Sony/ATV Music Publishing Australia
Pty. Limited. International Copyright Secured. All Rights
Reserved. Used by Permission

Intro   Gm C7sus4 Ebadd9 Csus2 Bb F/A

Vs 1   **Gm**
Found myself just the other day
C7sus4   **Ebadd9**
In the backyard of a friends place,
      Csus2   **Bb** **F/A**
Thinkin' about you,
Gm
Thinkin' of the crowd you're in,
C7sus4   **Ebadd9**
  What you up too where you been?
      Csus2 **Bb** **F/A**
Just thinkin'
Gm
You know the clothes that you wear,
C7sus4   **Ebadd9**
And the colors in your hair
        Csus2   **Bb** **F/A**
Shouldn't change you
Gm
  Now you tell me why it's so
C7sus4   **Ebadd9**
  You bigger than Mighty Joe,
         Csus2 **Bb** **F/A** **Gm**
At least you think so

Chorus **Gm** **Cm7**   **F**
      Got my fingers burnt,
         Eb   **F**   **Gm**
Now when I think of touching your hair
Gm   **Cm7**   **F**
You have changed so much that I don't know,
         Eb   **F** . **Gm**
If I can call you and tell you I care
Gm   **Cm7**   **F**
And I would love to bring you down,
         Eb   **F**   **Gm**
Plant your feet back on the ground

    Gm **Cm7**

Vs 2   **Gm**
Throw my smoke down on the ground,
C7sus4   **Ebadd9**
Turn my head and I heard the sound,
        Csus2   **Bb** **F/A**
That reminded me
Gm
Of the days so young and sweet
C7sus4   **Ebadd9**
Always so much fun to meet
          Csus2 **Bb** **F/A**
At least I thought so
Gm
  Now you think your so damn fine
C7sus4   **Ebadd9**
You can rule the world no not mine,
        Csus2 **Bb** **F/A**
I don't think so

Chorus **Gm Cm7**   **F**
      Got my fingers burnt,
           Eb   F   **Gm**
   Now when I think of touching your hair
   Gm   **Cm7**   **F**
   You have changed so much that I don't know,
         Eb   **F**   **Gm**
   If I can call you and tell you I care

Inst   **Gm Cm7 F Eb F Gm Cm7 F Eb F Gm**

Vs 3   **Gm**
   You know the scene that you're in,
   C7sus4   **Ebadd9**
   And the people that you been with
      Csus2 Bb F/A
   Just get to me,
   Gm
   But you think I'm not as cool,
   C7sus4   **Ebadd9**
   As you are so beautiful
        Csus2 Bb F/A
   Well who you fooling
   Gm
   Well I'm here to tell you babe
   C7sus4   **Ebadd9**
   The game you're in is just a game
      Csus2   **Bb F/A**
   So damn pretentious

Chorus **Gm Cm7**   **F**
      Got my fingers burnt,
          Eb   F   **Gm**
   Now when I think of touching your hair
   Gm   **Cm7**   **F**
   You have changed so much that I don't know,
         Eb   **F**   **Gm**
   If I can call you and tell you I care
   Gm   **Cm7**   **F**
   And I would love to bring you down,
         Eb   **F**   **Gm**
   Plant your feet back on the ground
   Cm7   **F**
   You think you're so beautiful
     Eb   **F Gm**
   So beautiful

Solid Rock

Words & Music Shane Howard
© Copyright Mushroom Music Pty. Limited. International Copyright
Secured. All Rights Reserved. Used by Permission

```
Vs 1   Am                          G       F
       Out here nothing changes, not in a hurry, anyway
       Am                          G         F
       You feel the endlessness with the comin' of the light of day
       D
       We're talkin' about a chosen place
       F            G            Am
       You wanna sell it in a marketplace, well,    well just a minute now

Chorus Am                          G           F
       Standing on solid rock, standing on sacred ground
                   Am
       Living on borrowed time
               G            F            Am
       And the winds of change are blowin' down the line, right down the line

Vs 2   Am                          G       F
       Round about the dawn o' time, When dreamin' all began
       Am                G                    F
       Proud people came, well they were looking for the promised land
       D
       Running from the heart of darkness
       F            G       Am
       Searching for the heart o' light    I think we've found paradise

Chorus Am                          G           F
       Standing on solid rock, standing on sacred ground
                   Am
       Living on borrowed time
               G            F            Am
       And the winds of change were blowing cold that night

Vs 3   Am                          G             F
       They were standin' on the shore one day, Saw the white sails in the sun
       Am                          G         F
       Wasn't long before they felt the sting, white man, white law, white gun
       D                F                        Am
       Don't tell me that it's justified, 'cause somewhere, someone lied

       Yeah well someone lied, someone lied,

Chorus Am                          G           F
       Standing on solid rock, standing on sacred ground
                   Am
       Living on borrowed time
               G            F            Am
       And the winds of change are blowin' down the line,
       Am            G        F
       Solid rock, standing on sacred ground
                   Am
       Living on borrowed time
               G            F         Dm   Am
       And the winds of change are blowin' down the line,    Woa - oh
```

Streets Of Your Town

Words & Music R. Forster
and G. McLennan
© Copyright Festival Music Pty. Limited/obo Complete
Music Ltd. International Copyright Secured. All Rights
Reserved. Used by Permission

Intro   Bb Ab Bb Ab Bb Ab Bb Ab

Chorus Bb   Ab   Bb   Ab
Round and round, up and down,
Bb   Ab   Bb   Ab
Through the streets of your town
Bb Ab Bb   Ab
Every day I make my way
Bb   Ab   Bb   Ab
Through the streets of your town.

Vs 1   Eb   Bb   Ab
And don't the sun look good today
Eb   Bb   Ab
But the rain is on it's way
Eb   Bb   Ab
Watch the butcher shine his knife
Eb   Bb   Ab
And this town is full of battered wives.

Chorus Bb   Ab   Bb   Ab
Round and round, up and down,
Bb   Ab   Bb   Ab
Through the streets of your town
Bb Ab Bb   Ab
Every day I make my way
Bb   Ab   Bb   Ab
Through the streets of your town.

Vs 2   Eb Bb   Ab
And I ride your river under the bridge
Eb   Bb   Ab
And I take your boat out to the reach
Eb   Bb   Ab
Cause I love that engine roar
Eb   Bb   Ab
But I still don't know what I'm here for.

Chorus Bb   Ab   Bb   Ab
Round and round, up and down,
Bb   Ab   Bb   Ab
Through the streets of your town
Bb Ab Bb   Ab
Every day I make my way
Bb   Ab   Bb   Ab
Through the streets of your town.

Bridge Ab Cm   Ab Cm
They shut it down, they closed it down
Ab Cm   Ab Cm
They shut it down, they pulled it down

Inst   Eb Bb Ab Eb Bb Ab x2

Chorus Bb   Ab   Bb   Ab
Round and round, up and down,
Bb   Ab   Bb   Ab
Through the streets of your town
Bb Ab Bb   Ab
Every day I make my way
Bb   Ab   Bb   Ab
Through the streets of your town. (repeat chorus and fade)

Some Kind Of Bliss

Words & Music Kylie Minogue, James Dean,
Bradfield & Sean Moore
© Copyright Mushroom Music Pty. Limited for
The World / Sony Music Publishing.
International Copyright Secured. All Rights
Reserved. Used by Permission

Intro   Am Csus4 C Fadd9 F Csus4 C F C Dsus4 D

```
Vs 1   Am         Csus4  C
       Shut my eyes
       F          C
       Feel the colour of you
       F          C
       So get to this elation
       Dsus4         D
       So high so fast
       Am         Csus4  C
       Shut my eyes
       F          C
       Feel the colour of you
       F            C
       Succumb to this illusion
       Dsus4         D
       So strong so deep
```

```
Chorus     F                   C
           Cos everyday is all there is
             F              C
           In my some kind of bliss
                   F          C
           Cos everyday is all there is
             Ab           G  G#
           In my some kind of bliss
```

```
       Am         Csus4  C
       Study my reflection
            F          C
       And let the colours fall
       F        C
       Slip into stillness
       Dsus4          D
       And be above it all
       Am         Csus4  C
       Good to be here
       F          C
       Time to be alone
       F                       C
       I've found a space where I belong
       Dsus4          D
       Not succumb to fear
```

```
Chorus     F                    C
         Cos everyday is all there is
            F                 C
         In my some kind of bliss
              F                  C
         Cos everyday is all there is
              Ab            G  G#
         In my some kind of bliss

Inst    Am  C  F  C  Dsus4  D

Chorus     F                      C
         Cos everyday is all there is
            F              C
         In my some kind of bliss
              F                  C
         Cos everyday is all there is
              Ab             G
         In my some kind of bliss    (repeat chorus 4x  and fade)
```

Someday, Someday

Vs 1   G   D/F#
So we've already established the fact that things are
Em
Gonna be different in the future baby
Am   C/G   D/F#
And you've reiterated the fact that you don't want to get into something

That's just gonna have to end later
G   D/F#   Em
And I know our lives are changin' and I've seen it coming for a while too,

Don't get me wrong
Am   C/G
And I've been going out of town baby,
     D
It's gonna happen more we gotta be strong but now

P.C.   C   D   C   D
While I'm gone just be a fly on the wall
    G   D/F#   Em
You know, I'm thinking about you
C   D   C   D
Just wait and see, you gotta hear what I say
      Em   F
I'm in love with you, I'm not so far away

Chorus G   Em
Someday, someday, I will be here babe
C   D   C
Someday, someday, I will be the one babe
G   Em
Someday, someday, I will be here babe
C   D   C
Someday, someday, I will be the one babe

G   D/F#   Em
I know you gotta go to university

And I'm just trying to make some cash to follow my dreams
Am   C/G
But please don't say we're too busy
   D/F#
To give each other time and support we need
G   D/F#
I know we gotta work our jobs
    Em
And make some money to get by in this expensive world
Am   C/G
But don't let that overtake the fact
    D
That before all that, you're still my girl

P.C.   C   D   C   D
While I'm gone just be a fly on the wall
    G   D/F#   Em
You know, I'm talking about you
C   D   C   D
Just wait and see, you gotta hear what I say
      Em   F
I'm in love with you, I'm not so far away

Chorus **G**   **Em**
   Someday, someday, I will be here babe
   C   **D**   **C**
   Someday, someday, I will be the one babe
   G   **Em**
   Someday, someday, I will be here babe
   C   **D**   **C**
   Someday, someday, I will be the one babe
   G   **Em**
   Someday, someday, I know that you love me
   C   **D**   **C**
   Someday, someday, sorry that I'm leaving
   G   **Em**
   Someday, someday, I will be here babe
   C   **D**   **C**
   Someday, someday, I will be the one babe

Inst   **Am7 D Am7 D G D/F# Em Am7 D Am7 D**

       Em   **F**
   I'm in love with you, I'm not so far away

Chorus **G**   **Em**
   Someday, someday, I will be here babe
   C   **D**   **C**
   Someday, someday, I just need you here with me
   G   **Em**
   Don't have to try love will take us there babe
   C   **D**   **C**
   Someday someday, I will be the one babe
   G   **Em C D**   **C**
   Someday, hey,   I will be the one babe

    G   **Em C D**   **C**   **G**
   Someday, hey,   I just need you here babe..

Something's Gotta Give

Words & Music John Butler
© Copyright John Butler.
International Copyright Secured. All
Rights Reserved. Used by
Permission.

```
Intro    E5  G5  A5   E5  G5  A5  D5x 2

Vs 1          B    E    Em
         A little feeling in my gut that I get of late

         When I think about these cats running the world with hate
                                        Em  A5
         I say, Something's got to give
            E5                         G5        A5
         Got the whole world fighting for that Texas Tea
            E5               G5     A5
         I got a little for you, I got a little for me,
            E5          G5     A5    E5  G5 A5
         But the, the kettle's leaking like a sieve


Vs 2              B    E    Em
         And there's a puddle on the floor, there's a puddle in the sky

         The kettles leaking so much now man it's burning my eyes yeah,
                                              Em  A5
         Can't we just throw that the damn pot out?
             E5                        G5   A5
         And on the subject of throwing stuff away,
             E5                         G5      A5
         I know some deaf men that can't hear a word we say,
             E5          G5        A5
         No matter, no matter how loud we do shout
         E5  G5            A5
              Yeah 'n I say

Chorus  E5              G5      A5    E5              G5       A5
        Something's gotta give right now boy, something's gotta give right now
            E5                   G5    A5    E5              G5      A5
        For you, something's gotta give right now man, something's gotta give right now

Vs 3          B    E    E5
         I was reading a newspaper just yesterday

         Got the headlines reading "God bless the U.S.A." and I thought,
                            Em
         God bless everyone
         A5          E5                      G5    A
         God bless the people in New York when they were attacked,
               E5                        G5
         I bless the children being bombed there in Iraq,
         A5       E5                    G5             A5
         I bless the god - damned junkie with the monkey on his back,
               E5                 G5  A5
         God bless everybody under the sun
```

Vs 4   B   E   Em
Cause the world ahead will end if we don't have love

We can drive and pray all day to the guy above
                                                                Em
But eventually the only guarantee will be that the tea in your tank will run dry
A5   E5   G5
Because without love you know there ain't no life,
A5   E5   G5   A5
And you can duplicate and bottle it up all you like
E5   G5   A5   E G5   A5
But it, it doesn't mean you're gonna get another try, I get another try boy

Solo   **N.C.**

Chorus **E5**   **G5**   **A5**   **E5**   **G5**   **A5**
Something's gotta give right now boy, something's gotta give right now
D5 E5   **G5**   **A5**   **E5**   **G5**   **A5**   **D5**
For you, something's gotta give right now man, something's gotta give right now yeah
E5   **G5**   **A5**   **E5**   **G5**   **A5**
Something's gotta give right now boy, something's gotta give right now
      E5   **G5**   **A5**   **E5**   **G5**   **A5 D5**
For you, something's gotta give right now man, something's gotta give right now

Outro   E Em E Em G G6 A G6/A x7
         E

Sounds Of Then
(This Is Australia)

Words & Music Mark Callaghan
© Copyright 1984 Sony-ATV Music Publishing.
International Copyright Secured. All Rights
Reserved. Used by Permission

```
Vs 1   Bm                          E          D
       I think I hear the sounds of then, and people talking,
       Bm              E          D
       Scenes recalled, by minute movement,
          Bm          E        D
       And songs they fall, from the backing tape.
       Bm              E          D
       That certain texture, that certain smell,
       Bm              E        D
       To lie in sweat, on familiar sheets,
       Bm              E        D
       In brick veneer on financed beds.
       Bm      E        D
       In a room, of silent hardiflex
       Bm              E          D
       That certain texture, that certain smell,
       E              Bm                         D          E
       It brings home the heavy days, brings home the night time swell,
```

```
Chorus Bm              E    D
       Out on the patio we'd sit,
       Bm              E    D
       And the humidity we'd breathe,
       Bm              E          D
       We'd watch the lightning crack over canefields
       Bm              E    D
       And laugh and think, this is Australia.
```

```
Vs 2   Bm              E          D
       The block is awkward - it faces west,
       Bm              E        D
       With long diagonals, sloping too.
       Bm              E        D
       And in the distance, through the heat haze,
       Bm              E        D
       In convoys of silence the cattle graze.
       E              Bm
       That certain texture, that certain beat,
                      D          E
       Brings forth the night time heat.
```

```
Chorus Bm              E    D
       Out on the patio we'd sit,
       Bm              E    D
       And the humidity we'd breathe,
       Bm              E          D
       We'd watch the lightning crack over canefields
       Bm              E    D
       And laugh and think, this is Australia.
```

```
Vs 3   Bm          E    D
       To lie in sweat, on familiar sheets,
       Bm          E    D
       In brick veneer on financed beds.
       Bm      E    D
       In a room of silent hardiflex
       Bm          E    D
       That certain texture, that certain smell,
       E              Bm
       Brings forth the heavy days,
       Bm          D    E
       Brings forth the night time sweat
```

Chorus **Bm**   **E**   **D**
Out on the patio we'd sit,
Bm   **E**   **D**
And the humidity we'd breathe,
Bm   **E**   **D**
We'd watch the lightning crack over canefields
Bm   **E**   **D**
And laugh and think, this is Australia.
Bm   **E**   **D**
Out on the patio we'd sit,
Bm   **E**   **D**
And the humidity we'd breathe,
Bm   **E**   **D**
We'd watch the lightning crack over canefields
Bm   **E**   **D**
And laugh and think, this is Australia.
Bm   **E**   **D**
        This is Australia
Bm   **E**   **D**
        This is Australia

Special Ones

Words & Music K. Noonan & N. Stewart
© Copyright Festival Music Pty. Limited. International
Copyright Secured. All Rights Reserved. Used by Permission

Vs 1   **Bm**   **E7/G#**
Isn't it funny how you never really screamed at my face,
         Gmaj7
But your anger so unspoken and unchannelled
     Bm   **A**   **G/E**   **Dadd9**
Permeates my essence to the point where I
Bm   **E7/G#**
Don't want to see you hear you, be anywhere near you,
         Gmaj7
You probably think I'm threatened by you
           Bm   **N.C.**
But your illusionary power doesn't threaten me
Bm   **E/G#**
Actually I think it's kind of funny that you create an illusion that is a mirror,
Gmaj7   **Bm**   **A G/E Dadd9**
I don't appreciate you and I know that that surprises you
Bm   **E/G#**
I suppose you see that those who follow their heart always win,
G   **Bm**   **A/F#** **G/E**
Those with integrity have won the match before it's begun

Chorus   **D**   **Am**
So rather than being kicked around, I'm going to kick you to the curb
   E/G#   **C6 9 #11**   **C**
So rather than being pushed around, I'm going to push you away first
     D   **Am**
So rather than trying to protect you, I'm going to cover my basses first
E/G#   **Cmaj7**
So rather than trying to open my heart, I'm gonna lock it with a key
     N.C.
So that only the special ones, so that only the special ones, can ever get through to me

Vs 2   **Bm**
Some can see beyond the barrier of threshold
       E7/G#
Whereas others can't see beyond their sculptured mould,
      Gmaj 7
You could offer me nothing, you could offer me nothing
     Bm   **A**   **G/E**   **Dadd9**
You could offer me nothing that I need
Bm
Do you think I'm asking too much?
      E7/G#
A kind of respect and trust that shouldn't even be questioned,
Gmaj7   **Bm**   **A** **G/E** **Dadd9**
How can I open my heart with dishonesty sitting next to me?
   Bm   **E/G#**
I've honoured your honour to the point of embarrassment,
                    Gmaj7   **Bm**   **A** **G/E Dadd9**
But innocence in the hands of the guilt-free is kicked to, is kicked to the curb
Bm   **E/G#**
I was ashamed of my innocence, I was ashamed of my innocence
      Gmaj7   **Bm**   **A/F#** **G/E**
but now with clarity I see that your bullshit is just not worthy of me

Chorus   **D**   **Am**

So rather than being kicked around, I'm going to kick you to the curb
   E/G#   **C6 9 #11**   **C**
So rather than being pushed around, I'm going to push you away first
   D   **Am**
So rather than trying to protect you, I'm going to cover my basses first
   E/G#   **C6 9 #11**   **C**
So rather than trying to open my heart, I'm gonna lock it with a key
     C 6 9 #11 C   **C 6 9 #11 C**
So that only the special ones, so that only the special ones,

                   F#sus4 **G** **G6** **G** **A** **Asus4** **A/C#** **Bm**
Can ever get through to me

Inst   **F#7sus4** **Gsus2** **A** **Asus4** **A/C#** **Bm**

               F#sus4 **G** **G6** **G**
I don't want to be angry....
            A **Asus4** **A/C#** **Bm**
I don't want to be angry....
           F#7 sus4 **G** **G6** **G**
I don't want to be angry....
      F#7sus4   **Gmaj7** **G6**
This is not worthy of me and now with clarity
Gmaj7 **G6**   **Asus4**
I   see that I can walk away, I can walk away

Chorus   **D**   **Am**

So rather than being kicked around, I'm going to kick you to the curb
   E/G#   **C6 9 #11**   **C**
So rather than being pushed around, I'm going to push you away first
   D   **Am**
So rather than trying to protect you, I'm going to cover my basses first
   E/G#   **C6 9 #11**   **C**
So rather than trying to open my heart, I'm gonna lock it with a key
     C 6 9 #11 C   **C 6 9 #11 C**
So that only the special ones, so that only the special ones,

                   F#sus4 **G** **G6** **G** **A** **Asus4** **A/C#** **Bm**
Can ever get through to me

F#7sus4 **Gsus2** **A** **Asus4** **A/C#** **Bm**
(ad lib and fade)

Stranded (I'm)

Words & Music Chris Bailey & Ed Kuepper
© Copyright Mushroom Music. International Copyright
Secured. All Rights Reserved. Used by Permission.

Intro   B F# B F# A B A B F# B F#

Vs 1
```
        B                    F#
Like a snake calling on the phone
        B                F#
I've got no time to be alone
            B                         F#
There is some one coming at me all the time
        B                    F#
Yeah babe I think I'll lose my mind
          A                B
'Cause I'm stranded on my own
A                B    F#      B  F#
Stranded far from home, All right
```

Vs 2
```
        B                    F#
I'm riding on a midnight train
        B                     F#
But everybody just looks the same
        B                   F#
A subway light it's dirty reflection
        B                    F#
I'm lost, babe I've got no direction
          A                B
And I'm stranded on my own
A                B    F#      B  F#
Stranded far from home, All right
```

Chorus
```
       B          F#
Stranded I'm so far from home
B                F#
Stranded yeah I'm on my own
B                F#
Stranded, you gotta leave me alone
          A                B
'Cause I'm stranded on my own
A                B    F#      B  F#
Stranded far from home, Come on!
```

Vs 3
```
       B                    F#
Look at me looking at you
B                      F#
There ain't a thing that I can do
B                      F#
You are lost your mind is a whirl
B                    F#
You're honey, such a stupid girl
        A                B
So I'm stranded on my own
A                B    F#      B  F#
Stranded far from home, Come on
```

Chorus
```
       B          F#
Stranded I'm so far from home
B                F#
Stranded yeah I'm on my own
B                F#
Stranded, you gotta leave me alone
          A                B
'Cause I'm stranded on my own
A                B    F#      B  F#
Stranded far from home, All right!
```

```
Vs 4    B                  F#
        Livin' in a world insane
        B                        F#
        They cut out some heart & some brain
        B                  F#
        Been filling it up with dirt
        B                      F#
        Do you know how much it hurts...
            A                B
        To be stranded on your own
        A              B   F#     B  F#
        Stranded far from home, All right

Chorus  B              F#
        Stranded I'm so far from home
        B              F#
        Stranded yeah I'm on my own
        B                  F#
        Stranded, you gotta leave me alone
            B  F#  B  F#
        'Cause I'm

Chorus  B              F#
        Stranded I'm so far from home
        B              F#
        Stranded yeah I'm on my own
        B                  F#
        Stranded, you gotta leave me alone
            A                B
        'Cause I'm stranded on my own
        A        A/G#  A/F#  A/E   B
        Stranded
```

Tabloid Magazine

Words & Music Christopher John Cheney
© Copyright Universal Music Publishing. International
Copyright Secured. All Rights Reserved. Used by
Permission.

Intro   Bm F#m G A Bm F#m G A Bm F#m G A E G

       Bm D A E

Vs 1   A
Temperamental editors searching for the passion
F#m
Overpaid and over-rated, looking for a cash in
D   A E
Yeah, it's too late
A
If you want to read a little useless information
F#m
If you've had enough with all the troubles with our nation
D   A E
Yeah, well don't wait
D   E
And you read about 'it, you just can't sleep without
C#m   F#   Bm   F#m G
The pages of the magazine but don't believe in all you read

Chorus N.C.   Bm   F#m
You can't trust the tabloid magazine
G   A   Bm   F#m G A
And I'm about to break down
        Bm   F#m
It's just a tabloid magazine
G   A   E   G
And I don't wanna break down, I don't want to break down

       Bm D A E

Vs 2   A
Picture hungry journalists looking for some action
F#m
Running all the stories like it's going out of fashion
D   A E
Yeah, it's too late
A
Everybody's reading everybody else's problems
F#m
Everybody's busy stopping what they haven't started
D   A E
Yeah, well don't wait
D   E
You can read about it, and you wont sleep without
C#m   F# Bm   F#m G
The pages of the magazine, but don't believe in all you read

Chorus N.C.   Bm   F#m
You can't trust the tabloid magazine
G   A   Bm   F#m G A
And I'm about to break down
        Bm   F#m
It's just a tabloid magazine
G   A   E   G
And I don't wanna break down, I don't want to break down
               E   G
I don't want to break down, I don't want to break down

Bridge **A**   **D**   **E**   **D**
Don't wanna be around 'em, better off without them
A   **D**   **F#m** **E** **A**
You know you can't escape them
A   **D**   **E**   **D**
Don't wanna be around 'em, better off without them
A   **D**   **F#m** **E** **A**
You know you can't escape them
A   **D**   **E**   **D**
Don't wanna be around 'em, better off without them
A   **D**   **F#m** **E** **A**
You know you can't escape them
D   **E**
And you read about them all the time
     C#m   **F#**
From the pages of the magazine
     Bm   **F#m** **G** **A**
But you can't believe in all you read, Go!

Bm **F#m** **G** **A** **Bm** **F#m** **G** **A** **Bm** **F#m** **G** **A** **E** **G** **A** **A#**

     Bm   **F#m**   **G**   **A**
Well it's too late, and you're gonna have to wait
     Bm   **F#m**   **G**   **A**
You won't wanna turn out the light
Bm   **F#m**   **G**   **A**
Well it's too late, and you're gonna have to wait
     Bm   **F#m**   **G** **A**
You won't wanna turn out the light
      Bm   **F#m** **G** **D**
It's just a tabloid magazine,
      Bm   **F#m** **G** **D**
It's just a tabloid magazine,
      Bm   **F#m** **G** **D**
It's just a tabloid magazine,
      Bm   **F#m** **G** **Bm**
It's just a tabloid magazine,

Take It Away

Words & Music Boge, Esmond, Hall & Goedhart
© Copyright 2003 Rough Cut Music. International Copyright
Secured. All Rights Reserved. Used by Permission

Intro   C5 Eb5 C5 Eb5
       C5 Ab5 F5 Bb5 x2

Vs 1   C5   Ab5
     What's with you making me sick
     F5   C5
     I know the reasons why
           Ab5
     You cut to the quick
     F5   C5
     Oh, But still I try
           Ab5
     It's all you can see
     F5   C5
     And so it goes
          A b5   F5
     What can you take from me

Chorus   Eb5   C5 Ab5
     You can take it away
     F5 Bb5 C5 Ab5
      Take it away
     F5 Bb5 C5 Ab5
      Take it away from me
     F5 Bb5 C5
         I Know it's you,
     Ab   F5 Bb5 C5 Ab5 F5
     I guess this time we'll see

Vs 2   C5
     Here's the trip
           Ab5
     Yeah you think to much
     F5   C5
     I know the reasons why
          Ab5
     Your so out of touch
     F5   C5
     Oh, And so it goes
          Ab5   F5
     It's all you can take from me

Chorus   Eb5   C5 Ab5
     You can take it away
     F5 Bb5 C5 Ab5
      Take it away
     F5 Bb5 C5 Ab5
      Take it away from me
     F5 Bb5 C5
         I Know it's you,
     Ab   F5 Bb5 C5 Ab5 F5 Eb
     I guess you disappear

     C5 Ab5 F5 Eb

Outro   C5   Ab5 F5 C5   Ab5 F5
     Take it away   Take it away
     C5   Ab5 F5 C5   Ab5
     Take it away   Take it away
     F5   C5 Ab5 F5 C5   Ab5
     You can take it away   You know why you take it away
     F5   C5   Ab5 F5   C5 Ab5 F5
     You can take it away from me   I'm all right

Throw Your Arms Around Me

Words & Music Mark Seymour
© Copyright Mushroom Music Publishing Pty.
Limited. International Copyright Secured. All
Rights Reserved. Used by Permission

Vs 1
```
      E                      A      E                    B
I will come for you at night time, I will raise you from your sleep
      E                A        E                    B
I will kiss you in four places, as I go running along your street
      E                  A          E                          B
I will squeeze the life out of you, you will make me laugh and make me cry
          E                A
And we will never forget it
          E                            A                      Bsus4  B
You will make me call your name, and I'll shout it to the blue summer sky
```

Chorus
```
             E                  A
And we may never meet again
        E                        B
So shed your skin and let's get started
              E   A          Bsus4  B
And you will throw your arms around me
               E  A          Bsus4  B
Yeah, you will throw your arms around me
```

Vs 2
```
     E                      A      E                      B
I dreamed of you at night time, and I watched you in your sleep
     E                A         E                          B
I met you in high places, I touched your head and touched your feet
          E7                  A          E                    B
So if you disappear out of view, you know I will never say goodbye
          E                A
And though I try to forget it
          E                            A                      B
You will make me call your name, and I'll shout it to the blue summer sky...
```

Chorus
```
             E                  A
And we may never meet again
        E                        B
So shed your skin and let's get started
              E   A          Bsus4  B
And you will throw your arms around me
               E  A          Bsus4  B
Yeah, you will throw your arms around me
```

```
E  A  Bsus4  B
Oh...yeah...
E  A  Bsus4  B
Oh...yeah...
              E  A          Bsus4  B
You will throw your arms around me...
               E  A          Bsus 4  B
Yeah, you will throw your arms around me....
(repeat ad lib and fade)
```

Thank You (For Loving Me At My Worst)

Words & Music Tim Freedman
© Copyright Black Yak/Phantom
Music/Warner Chappell. International
Copyright Secured. All Rights
Reserved. Used by Permission

Intro   F   Fmaj7   Bb/F   Bb6 x2

Vs 1   F   Fmaj7   Bb/F   Bb6
I shouldn't have driven
Gm   Gm7   C7
You shouldn't have driven
    F   Fmaj7   Bb/F   Bb6
But we got there and had a good time
    Gm   C
So we left the car and the cabbie was from a war zone
Am   Dm   Gm
We were glad he was driving us home
    C
I was glad about that mood
Am   Dm   Gm   C9   C7
We took it on, we took it on board, I said

Chorus   F   Fmaj7   Bbmaj7   Bb6   Gm   Gm7
Thank you,   Thank you
   C7
For loving me at my worst
Bbmaj7   Am7
If this isn't love it's very close
Dm7   Ebmaj7   C7
Can you hear the world is waking up
Bbmaj7   Am7   Dm7
Can we be crazy for a few more years?
     Ebmaj7   C7
have I got them in me?

Vs 2   F   Fmaj7   Bb/F   Bb6
Bought myself one of them keyboard axes
Gm   Gm7   C7
Wanted to get out and dance away from the piano
    F   Fmaj7   Bb/F   Bb6
That could have been the beginning of the end
    Gm   C
If I wasn't already in the middle
Am   Dm   Gm
The crowd was confused, and then they cheered
    C
And my career was back on track
Am   Dm   Gm   C9   C7
I was relieved and full of love for the people, and I said

Chorus F   Fmaj7   Bbmaj7   Bb6   Gm   Gm7
Thank you,   each and every one of you
   C7
For loving me at my worst
Bbmaj7   Am7
If this isn't love it's very close
Dm7   Ebmaj7   C7
Can you hear the world is waking up
Bbmaj7   Am7   Dm7
Can we be crazy for a few more years?
     Ebmaj7   C7
Have I got them in me?

Bridge **Gm   Fmaj7   Ebmaj7**
All you bright and middle-aged things
                        Bb   Eb   Bb
Attending your sons and daughters
Gm   Fmaj7   Ebmaj7
Spare a thought for me out here with the kids
                        Bb   Eb   Bb
To hell with your bricks and mortar
        C7   Eb
It's you and me and the holy ghost
Bb   Gm7
On the road we're all heading down the coast
            Bb   Am   Gm
We're better sorry than safe when we count the cost, mmm
            Bb   Am   Gm7
We're better sorry than safe when we count the cost

Vs 3   **F   Bb**
(spoken) There's a bar out east, it's called The Scrum
Gm7   C7
Only red wine and the finest of cigars
F   Bb
And if we leave now we'll still get in
Gm7   C7
You could find yourself a young consort
Am   Dm   Gm7
Writers of unpopular fiction (sung) trying to drink more
                    C9
Than bikies who've all left their beards at the door
Am   Dm7   Gm7   C7sus4 C7
You'll drink all the wine and smoke your cigar and say

Chorus **F Fmaj7 Bbmaj7 Bb6   Gm Gm7**
Thank you,   each and every one of you
        C7
For loving me at my worst

        F Fmaj7 Bbmaj7 Bb6 Gm Gm7

        C7
For loving at me at my worst
Bbmaj7 Am7
If this isn't love it's very close
Dm7   Ebmaj7 C7
Can you hear the world is waking up
Bbmaj7   Am7   Dm7
Can we be crazy for a few more years?
            Ebmaj7 C7
have I got them in me?
Bbmaj7 Am7
If this isn't love it's very close
Bbmaj7 Am7
If this isn't love it's very close
Bbmaj7 Am7
If this isn't love it's very close
Dm7   Ebmaj7 C7   Bbmaj7
Can you hear the world is waking up

This Old Love

Words & Music Lior Attar
© Copyright Mushroom Music
Publishing Pty. Limited. International
Copyright Secured. All Rights
Reserved. Used by Permission.

Capo on 6th Fret

Intro   Gm6 Gm/F# C Bb Cmaj7 G (x2)

Vs 1   Gm6   Gm/F#
Yes, yeah we're moving on
C
Looking for direction
Bb   Cmaj7(no 3rd) G
Mmm, we've covered much ground

Gm6   Gm/F#
Thinking back to innocence
C
I can no longer connect
       Bb   Cmaj7(no 3rd) G
I don't have a heart left to throw   around

P.C.   Em   C
Oh and time moves on like a train
     Bm7   Am7   Dadd4
That disappears into the night sky
Em   Bm7   Em
Yeah I still get a sad feeling inside
    C   Am7   Dadd4
To see the red taillights wave goodbye

Chorus   G
We'll grow old together
        Aadd9/C# C9
We'll grow old together
        G
And this love will never
        Aadd9/C#   C9
This old love will never die

Gm6 Gm/F# C Bb Cmaj7 G

Vs 2   Gm6   Gm/F#
Well money slips into your hand
    C
And then slips out like it was sand
         Bb   Cmaj7(no 3rd) G
And there are shoes you can never seem to fill

     Gm6   Gm/F#
I've chased so much and lost my way
C
Maybe a face for every day
     Bb   Cmaj7(no 3rd) G
That's so casually slipped me by

P.C.   Em   C
Oh and time moves on like a train
     Bm7   Am7   Dadd4
That disappears into the night sky
Em   Bm   Em
Yeah I still get a sad feeling inside
    C   Am7   Dadd4
To see the red taillights wave goodbye

Chorus   G
>But we'll grow old together
>   Aadd 9/C#   C9
>We'll grow old together
>   G
>And this love will never
>   Aadd9/C#   C9
>This old love will never die   mmm

Bridge   F#m7(add 11)
>Morning comes
>B7   Em
>Sometimes with a smile
>   Dm6   C9
>Sometimes with a frown
>F#m7(add 11)   B7
>Yeah, so I never want to worry
>   Em   Dm6 C9
>If you're gonna stay around

Chorus   G
>So let's grow old together
>   A(add 9)/C# C9
>We'll grow old together
>   G
>And this love will never
>   A(add9)/C#   C9
>This old love will never die

>Gm6   Gm/F#   C Bb Cmaj7 G

>Gm6   Gm/F#
>Yes yeah we're moving on
>C   Bb Cmaj7(omit 3rd) G
>Moving right along

Thunderstruck

Words & Music Angus Young & Malcolm Young
© Copyright 1990 J. Albert & Son Pty. Limited. International
Copyright Secured. All Rights Reserved. Used by Permission

Intro   **B**   **Em**
        Ah -   Thunder (x10)

        B5
I was caught in the middle of a railroad track (Thunder)

I looked round and I knew there was no turning back (Thunder)

My mind raced and I thought what could I do (Thunder)

And I knew there was no help, no help from you (Thunder)
                 B5   A5   E5   A5   E5
Sound of the drums,   beatin' in my heart

The thunder of guns tore me apart
                 B5
You've been - thunderstruck

Vs 2   **B5**
Rode down the highway, broke the limit, we hit the town

Went down to Texas, yeah Texas and we had some fun

We met some girls, some dancers who gave a good time

Broke all the rules, played all the fools
                     A5   E5
Yeah, yeah, they, they, they blew our minds

            A5   B5   A5   E5
I was shakin' at the knees
            A5   B5   A5   E5
Could I come again please?
            A5   B5   A5   E5
Yeah the ladies were too kind   You've been –

Chorus   **B5   A5   E5   A5**
        Thunderstruck,
           B5   A5   E5   A5
        Thunderstruck   Yeah yeah yeah,
           B5   A5   E5   A5
        Thunderstruck,   Yeah, oh,
           B5   A5   E5   A5   B5   A5   B5
        Thunderstruck,   yeah

                  A5   B5
Ooh I was shakin' at the knees

Could I come again please?

Gtr Solo **E5   B5   A5   E5   B5   A5   E5   B5   A5   E5   B5   A5**

         B5   A5   B5   A5   B5   A5   B5   A5   B5

```
Chorus       B5  A5  E5  A5  E5
        Thunderstruck,
             B5  A5  E5
        Thunderstruck
        A5      E5         B5  A5  E5  A5  E5
        Yeah yeah yeah, thunderstruck
             B5  A5  E5  A5      E5
        Thunderstruck,        yeah, yeah, yeah, said

        B5      E5  B5      E5
        Yeah, it's alright, we're doing fine
        B5      E5  B5      E5
        Yeah, it's alright, we're doing fine

           B5  A5  E5  A5  E5
        Thunderstruck,       yeah, yeah, yeah,
             B5  A5  E5  A5  E5
        Tunderstruck,        thunderstruck,
             B5     A5 E5 A5  E5
        Thunderstruck, Whoa baby, baby,
             B5  A5  E5  A5  E5
        Thunderstruck,       you've been
             B5  A5  E5  A5  E5
        Thunderstruck,
             B5  A5  E5  A5  E5
        Thunderstruck
             B5  A5  E5  A5  E5
        Thunderstruck,
             B5  A5  E5  A5  E5
        Thunderstruck,
             B5  A5  E5  A5  E5
        Thunderstruck       You've been
             B5
        Thunderstruck
```

Tightrope
Walker

Words & Music J.Alban, D. Santamaria,
T. Bignell, D. Houlihan and H. McCurdy
© Copyright Festival Music Pty. Limited/Control.
International Copyright Secured. All Rights
Reserved. Used by Permission.

Vs 1
```
          F#m E/G# A                    B7sus4
She says "I'm dying every  day, Would you save me?
          A/C#   D                F#m  E/G# A  B7sus4  D
Would you pick me up and out of this pain?"
          F#m    E/G# A         B7sus4 A/C# D
She says, "Darling I can't recall, why my chest insists to rise and fall"

F#m  E/G#  A  B7sus4  A/C#  D

          F#m         E/G# A         B7sus4      D
And as he's watching her eyelids close, in the TV glow he can't help thinkin' that
F#m     E/G# A        B7sus4     A/C# D
She's a tightrope walker, and he's the streets below
```

Chorus
```
          D          A         B7sus4      B  A/C#
So put your arms down honey, this ain't no execution
D          A              B7sus4  B
I was just watching you asleep
  A/C#   D            A         B7sus4      B  A/C#
So put that crown down sugar, this ain't no crucifixion
D          A          E
I was just watching you asleep, I was just watching you ...

F#m  E/G#  A  B7sus4  A/C#  D
F#m  E/G#  A  B7sus4  A/C#  D
```

Vs 2
```
          F#m           A              B7sus4
She says "I'm praying every day, but no one hears me ,
          A/C# D                F#m  A  B7sus4  A/C#  D
No one gives a f**k about me and my pain
          F#m             B7su4  A/C# D
She says "Darling I can't recall why my heart wants to beat at all"

F#m  E/G# A B7sus4 D

          F#m         E/G# A         B7sus4 A/C#   D
And as he's watching her eyelids close, in the TV glow he can't help thinkin' that
F#m     E/G# A        B7sus4     A/C# D
She's a tightrope walker, and he's the streets below
```

Chorus
```
          D          A         B7sus4      B  A/C#
So put your arms down honey, this ain't no execution
D          A              B7sus4  B
I was just watching you asleep
  A/C#   D            A         B7sus4      B  A/C#
So put that crown down sugar, this ain't no crucifixion
D          A          E
I was just watching you ...I was just watching you ...

D  E  F#m                   D  E  F#m
Sleep      I was just watching you sleep
                 B7sus4    A  B  C#  B7sus4
I was just watching you say goodbye
```

Chorus
          D   A   B7sus4   B A/C#
So put your arms down honey, this ain't no execution
D   A   B7sus4 B
I was just watching you asleep
   A/C#   D   A   B7sus4   B A/C#
So put that crown down sugar, this ain't no crucifixion
D   A   Esus4 E
I was just watching you …
          D   A   B7sus4   B A/C#
So put your arms down honey, this ain't no execution
D   A   B7sus4 B
I was just watching you
   A/C#   D   A   B7sus4   B A/C#
So put that crown down sugar, this ain't no crucifixion
D   A   E
I was just watching you sleep…I was just watching you

F#m E/G# A B7sus4 A/C# D

To Her Door

Words & Music Paul Kelly
© Copyright Universal Music. International Copyright Secured.
All Rights Reserved. Used by Permission.

Intro G C D G G D C G

Vs 1 G   D C   G
    They got married early, never had no money
    G   D C   G
    Then when he got laid off they really hit the skids
    G   D   C   G
    He started up his drinking, then they started fighting
    G   D C   G
    He took it pretty badly, she took both the kids
       Em   D C   D
    She said: "I'm not standing by, to watch you slowly die
       C   G D   C   G
    So watch me walking, out the door", out the door,
       G D C
    Out the door,

Vs 2 G   D C   G
    She went to her brother's, got a little bar work
    G   D C   G
    He went to the Buttery, stayed about a year
    G   D C   G
    Then he wrote a letter, said I want to see you
    G   D C   G
    She thought he sounded better, she sent him up the fare
       Em   D C   D
    He was riding through the cane in the pouring rain
      C   D   G D   C G   D   C
    On Olympic to her door, to her door, to her door,

Inst G D C G G D C G
    G D C G G D C G

    G   D C   G
    He came in on a Sunday, every muscle aching
    G   D C   G
    Walking in slow motion like he'd just been hit
    G   D C   G
    Did they have a future? Would he know his children?
    G   D C   G
    Could he make a picture and get them all to fit?
       Em   D C   D
    He was shaking in his seat riding through the streets
      C   D
    In a silvertop to her ...
    Em   D C   D
    Shaking in his seat riding through the streets
      C   D   G D   C G   D   C G
    In a silvertop to her door, to her door, to her door, to her door.

Outro G D C G
    (Inst solo repeat and fade)

Tonight's The Night

Words & Music Katy Steele and Matt Chequer
© Copyright Little Birdy Music Administered by Sony Music
Publishing. International Copyright Secured. All Rights
Reserved. Used by Permission

Intro   F   Fmaj7   F   Fmaj7

Vs1   F   Fmaj7
But you know it's true, I've given up on you
         F7   Bb
Take your time, hold onto all you have
         Gm7   C7   F   C7
Cos I am holding your hand so tight tonight

Vs 2   F   Fmaj7
But I try so hard to make it up to you
         F7   Bb
I can't wait, I can't help myself
         Gm7   C7   F   C7
Cos I am holding your hand so tight tonight

            Gm7   C7
So that I can hold you, ooh anymore
            Gm7   C7
So that I can feel you, ooh anymore
Bb   Gm7 C7
Ooh ooh ooh la la la la la la

Vs 3   F   Fmaj7
But if you want to travel the seas alone
         F7   Bb
I won't wait, I can't help myself
         Gm7   C7   F   C7
Cos I am holding your hand so tight tonight

            Gm7   C7
So that I can hold you, ooh anymore
            Gm7   C7
So that I can feel you, ooh anymore
Bb   Gm7 C7
Ooh ooh ooh la la la la la la
Bb   Gm7 C7
Ooh ooh ooh la la la la la la

F Fmaj7 F Fmaj7 Bb Bbm7
F Fmaj7 F Fmaj7 Bb Bbm7 F

Vs 3   F   Fmaj7
But you know its true, baby you make me blue
         F7   Bb
I am lonely for tonight
        Gm   C7   F   C7
Baby come on, come on and hold me tight

            Gm7   C7
So that I can hold you, ooh anymore
            Gm7   C7
So that I can feel you, ooh anymore
            Gm7   Bbm
So that I can feel you, ooh anymore

Ending F Gm C7 F   Gm C7 F   Gm   C7
                Too ra lie   oh Too ra lie   oh
        F Gm C7 F   Gm C7
                Too ra lie   oh

Torn

Words & Music Anne Preven, Scott Michael Cutler & Phil Thornalley
© Copyright Universal Music Publishing Ltd/BMG Music Publishing Australia/1995 Scott
Cutler Music & Colgems-EMI Music Inc. Administered by Colgems-EMI Music Inc. For
Australia and New Zealand – EMI Music Publishing Pty Limited (ABN 83 000 040 951)
PO Box 35, Pyrmont, NSW 2009. International Copyright Secured. All Rights Reserved.
Used by Permission.

Intro   F5 Fsus4 F Fsus24

Vs 1   **F**
I thought I saw a man brought to life
Am7   **Bb7**
He was warm, he came around like he was dignified

He showed me what it was to cry
F
Well you couldn't be that man I adored
Am   **Bb7**
You don't seem to know, don't seem to care what your heart is for

But I don't know him anymore
      Dm   **C**
There's nothing where he used to lie, my conversation has run dry
Am   **C**
That's what's going on, nothing's fine I'm torn

Chorus **F**   **C**   **Dm**
I'm all out of faith, this is how I feel
               Bb
I'm cold and I am shamed lying naked on the floor
F   **C**   **Dm**
Illusion never changed into something real
           Bb   **F**
I'm wide awake and I can see the perfect sky is torn
       C   **Dm** **Bb**
You're a little late, I'm already torn

Vs 2   **F**
So I guess the fortune teller's right
Am7   **Bb7**
Should have seen just what was there and not some holy light

But you crawled beneath my veins and now
Dm   **C**
I don't care, I have no luck, I don't miss it all that much
Am   **C**
There's just so many things that I can't touch, I'm torn

Chorus **F**   **C**   **Dm**
I'm all out of faith, this is how I feel
               Bb
I'm cold and I am shamed lying naked on the floor
F   **C**   **Dm**
Illusion never changed into something real
           Bb   **F**
I'm wide awake and I can see the perfect sky is torn
       C   **Dm** **Bb**
You're a little late, I'm already torn

Dm **Bb** **D5** **F** **C**
Torn

Dm
There's nothing where he used to lie
C
My conversation has run dry
Am   **C**
That's what's going on, nothing's fine I'm torn

Chorus **F**   **C**   **Dm**
I'm all out of faith, this is how I feel
                Bb
I'm cold and I'm ashamed bound and broken on the floor
F   **C**   **Dm**
Illusion never changed into something real
             Bb   **F**
I'm wide awake and I can see the perfect sky is torn
         C   **Dm** **Bb**
You're a little late, I'm already torn

(repeat chorus ad lib to fade)

Treat Yo Mama

Words & Music John Butler
© Copyright John Butler. International Copyright Secured.
All Rights Reserved. Used by Permission

Intro   D5 F5 D5 F5 G5 x4

Vs 1   D5   F5
Don't call me hippy cause the way that I look ,
D5   F5   G5
You know I got a recipe,   yeah and you know I can cook
       D5   F5
And I come forth with only good intent,
D5   F5   G5
You know I am heaven bound but I'm surely hell bent
       D5   F5   D5
On getting the job done like I know I should,
    F5   G5
Get the job done like my momma told me to.
   D5   F5
Only one thing can remember she said,
D5   F5   G5
You gotta earn all of your respect.

Vs 2   D5   F5
And I don't care what race or what colour or what creed
D5 F5   G5
I say all that shit don't bother me,
  D5   F5
Only one thing that you should not forget ,
G5   F5   G5
You gotta treat your momma with respect
      D5   F5
And I don't care what fashion the styling of your hair,
D5   F5   G5
I don't care about the car or the clothes you do wear.
  D5   F5
Only one thing that you should not forget ,
D5   F5   G5
You gotta treat your momma with respect.

Chorus D5   F5   D5   F5   G5
Treat your momma with respect, you gotta treat your momma with respect
D5   F5   D5   F5   G5
Slap you upside down your head, you don't treat your momma with respect
D5   F5   D5   F5   G5
Treat your momma with respect, you gotta treat your momma with respect
D5   F5   D5   F5   G5
Slap you upside down your head, you don't treat your momma with respect
D5   F5   D5   F5   G5
Treat your momma with respect, you gotta treat your momma with respect
D5   F5   D5   F5   G5
Slap you upside down your head, you don't treat your momma with respect

Solo   Bb C5 G5 F5 D5 G5 F5 D5 x2
       D5 F5 D5 F5 G5 x8
       Bb C5 G5 F5 D5 G5 F5 D5 x2
       D5 F5 D5 F5 G5 x4

Vs 3

       D5   F5   F5   G5
I got a couple of friends up in a tree in North-Cliff
          D5   F5   D5   F5   G5
You know they're doing their part , you know they're doing their bit.
   D5   F5   D5 F5 G5
Trying to save our mother from all this greed
         D5   F5   D5   F5   G5
You know they know what she wants , you know they know what she needs.
        D5   F5   D5 F5   G5
I got a couple of sisters in South Australia,
D5   F5   D5 F5   G5
Stopping the uranium from coming up,
D5   F5   D5   F5   G5
Oh yeah man you know they know what she need.
       D5   F5   D5   F5 G5
They're stopping all of that Government Corporate Greed!

Outro   **Bb C5 G5 F5 D5 G5 F5 D5** x2

Under The Milky Way

Words & Music Steve Kilbey & K. Jansson
© Copyright 1987 Music Sales Corporation (ASCAP)
Administered by Campbell Connelly/Universal
Music/MCA Music Publishing. International Copyright
Secured. All Rights Reserved. Used by Permission

Intro   Am D/F# Fmaj6 Em Am D/F# Fmaj6 Em

```
Vs 1    Am              D/F#           Fmaj6  Em
        Sometimes when this place gets kind of empty,
        Am            D/F#           Fmaj6  Em
        Sound of their breath fades with the light.
        Am      D/F#   Fmaj6       Em
        I think about the loveless fascination,
        Am        D/F#      Fmaj6  Em
        Under the milky way tonight.
Vs 2    Am       D/F#     Fmaj6  Em
        Lower the curtain down in Memphis,
        Am         D/F#          Fmaj6  Em
        Lower the curtain down all right.
        Am      D/F#   Fmaj6      Em
        I got no time for private consultation,
        Am       D/F#        Fmaj6  Em
        Under the milky way tonight.
Chorus  G                    Fmaj7
        Wish I knew what you were looking for.
        G                  Fmaj7
        Might have known what you would find.


Vs 3    Am     D/F#          Fmaj6  Em
        And it's something quite peculiar,
        Am         D/F#  `      Fmaj6  Em
        Something  shimmering and white.
        Am     D/F#   Fmaj6      Em
        Leads you here despite your destination,
        Am       D/F#      Fmaj6  Em
        Under the milky way tonight
Chorus  G                    Fmaj7
        Wish I knew what you were looking for.
        G                  Fmaj7
        Might have known what you would find.
        G                  Fmaj7
        Wish I knew what you were looking for.
        G                  Fmaj7
        Might have known what you would find.


        C  G  Am  C  G  Am  C  G  Am  C  G  Am
```

```
Vs 3    Am      D/F#            Fmaj6  Em
        And it's something quite peculiar,
        Am      D/F#   `         Fmaj6  Em
        Something  shimmering and white.
        Am      D/F#   Fmaj6     Em
        Leads you here despite your destination,
        Am      D/F#      Fmaj6  Em
        Under the milky way tonight
Chorus  G               Fmaj7
        Wish I knew what you were looking for.
        G               Fmaj7
        Might have known what you would find.
        G               Fmaj7
        Wish I knew what you were looking for.
        G               Fmaj7
        Might have known what you would find.

Outro   Am      D/F#      Fmaj6  Em
        Under the milky way tonight
        (repeat and fade)
```

U.S. Forces

Words & Music James Moginie, Peter Garrett and Peter Gifford
© Copyright Sony/ATV Music Publishing. International Copyright
Secured. All Rights Reserved. Used by Permission.

Intro   B C# D#m B C# D#m B C# D#m B C# D#m

Vs 1   A Asus2 Bm B7
     US Forces give the nod,
                             A Asus2 Bm B7
     It's a setback for your country
                             A Asus2 Bm B7
     Bombs and trenches all in rows,
                             A Asus2 Bm B7
     Bombs and threats still ask for more
                             A Asus2 Bm B7
     Divided world the CIA,
                             A Asus2 Bm B7
     Who controls the issue
                             A Asus2 Bm B7
     You leave us with no time to talk,
                             A Asus2 Bm B7
     You can write your assessment

Chorus A   Am
      Sing me songs of no denying, seems to me too many trying
      C   Bm   Esus4
      Waiting for the next big thing

Vs 1   A Asus2 Bm B7
     Will you know it when you see it,
                           A Asus2 Bm B7
     High risk children dogs of war
       F#
     Now market movements call the shots,
     F#m
     Business deals in parking lots
     D   F   G
     Waiting for the meat of tomorrow

Chorus A   Am
      Sing me songs of no denying, seems to me too many trying
      C   Bm   Esus4
      Waiting for the next big thing

      A Asus2 Bm B7
      A Asus2 Bm B7

Bridge A
     Everyone is too stoned to start emission

     People too scared to go to prison

     We're unable to make decision
     A   Bm   F/C
     Politicians party line don't cross the floor
     F#
     L. Ron Hubbard can save your life
     F#m
     Superboy takes a plutonium wife
     D   F   C/G G Gsus2
     In the shadow of Ban The Bomb we live

```
A                        Am
Sing me songs of no denying, seems to me too many trying
C              Bm        Esus4
Waiting for the next big thing
A                        Am
Sing me songs of no denying, seems to me too many trying
C              Bm        Esus4
Waiting for the next big thing
A                        Am
Sing me songs of no denying, seems to me too many trying
C              Bm        Esus4
Waiting for the next big thing


A      Asus2  Bm   B7
  Still waiting
A      Asus2  Bm   B7
  Still waiting
A      Asus2  Bm   B7  A
  Still waiting
```

Walking Away

Words & Music A. Santilla, B. Dexter,
G. Campbell, L. Macklin and B. Dochstader
© Copyright Festival Music Pty. Limited. International Copyright
Secured. All Rights Reserved. Used by Permission

Intro   G5 F5/G G5 F5/G C5 D5

Vs 1   G5   C5 D5   G5   C5 D5

       Intellect escapes me,   and I find more sense in common insects

                G5   C5 D5 G5

       Than whatever sense in this excess interest   oh

           C5   D5   G5

       Yeah the rates I pay to further impress you, ever change

            C5   D5   G5   D5 C5 G5

       All the rates that I pay to further impress you, ever changin'

Chorus N.C.   D

        She's walking away, (walking away)

        G/D   D

        Walking away, (walk walking away)

           D   A/C#   C   G   D A/C# C G C5 D5

        And I just don't get it , and I just don't get it no

Vs 2   G5   C5 D5   G5

       Oh the news today it hit,   like a ton of bricks, the story fifth

         C5 D5 G5   C5   D5 G5

       And I...   I don't get it, I just don't get it anymore oh

           C5   D5   G5

       Yeah and the rates I pay to further impress you, ever change

            C5   D5   G5   D5 C5 G5

       And all the rates that I pay to further impress you, ever changin'

Chorus N.C.   D

        She's walking away, (walking away)

        G/D   D

        Walking away, (walk walking away)

             D   A/C#   C   G   D A/C# C G

        And I just don't get it , and I just don't get it no   nothin'

Bridge Cm7

        I know, go slow, I can't get up because I know, I know, go slow,I can't get up

Inst   G5

        C5 D5   G5 C5 D5 G5

        C5 D5   G5 C5 D5 G5 C5 D5

Vs 3

        G5   C5 D5   G5

        Oh the news today it hit,   like a ton of bricks, the story fifth

                   C5   D5   G5

        Yeah and the rates I pay to further impress you, ever change

             C5   D5   G5   C5 D5 G5

        Yeah the rates I pay to further impress you, ever changin'

Chorus **N.C.**   **D**
    She's walking away, (walking away)
    G/D   **D**
    Walking away, (walk walking away)
        D   **A/C#**   **C**   **G**   **D** **A/C#** **C**
    And I just don't get it, and I just don't get it no
    G.   **D**
    She's walking away, (walking away)
    G/D   **D**
    Walking away, (walk walking away)
        D   **A/C#**   **C**   **G**   **D** **A/C#** **C** **G**
    And I just don't get it , and I just don't get it no   Yeah she's walkin'

    G5 **F5/G**

Weather With You

Intro   Em7 A Em7 A

Vs 1

```
         Em7                          A
Walking 'round the room singing "Stormy Weather"
         Em7                  A
At Fifty Seven Mount Pleasant Street
              Em                   A
Now it's the same room but everything's different
                 Em          A7
You can fight the sleep but not the dream
Dm       C    Dm    C
Things ain't cooking in my kitchen
Dm       C          F
Strange affliction wash over me
Dm    C    Dm              C
Julius Caesar and the Roman Empire
Dm       C        F       G
Couldn't conquer the blue sky
```

Em7 A Em7 A

Chorus

```
              Asus4               D
Everywhere you go you always take the weather with you
              Asus4               D
Everywhere you go you always take the weather
              Asus4               G
Everywhere you go you always take the weather with you
              D/F#               G             A
Everywhere you go you always take the weather, take the weather with you
```

Em7 A Em7 A

Vs 2

```
              Em7           A
Well there's a small boat made of china
         Em7              A
Going nowhere on the mantelpiece
      Em7              A
Do I lie like a lounge room lizard
         Em7            A
Or do I sing like a bird released
```

Chorus   **Asus4**   **D**
Everywhere you go you always take the weather with you
       Asus4   **D**
Everywhere you go you always take the weather
       Asus4   **G**
Everywhere you go you always take the weather with you
    D/F#   **G**   **A**
Everywhere you go you always take the weather, take the weather with you

Em7   A   Em7   A

Chorus   **Asus4**   **D**
Everywhere you go you always take the weather with you
       Asus4   **D**
Everywhere you go you always take the weather
       Asus4   **G**
Everywhere you go you always take the weather with you
    D/F#   **E**
Everywhere you go you always take the weather,
   G   **A**   **D**
Take the weather, take the weather with you

What's My Scene

```
Vs 1   D                              E
       And another thing I've been wondering lately
          G                      D    Dsus4  D
       Ah baby, tell me where have you been?
       D                              E
       Now the style is set, where's my Juliet baby
            G                    D Dsus4
       Is it maybe mine such a nice dream
       G      A     Em  G      A      Em
       What's my scene?   What's my scene?
       G      A     Em
       What's my scene?
              G      D E G  D E G
       Tell me what's my scene

Vs 2   D                                 E
       Like a talent scout, always checking out new blood
              G                  D  Dsus4  D
       Oh I do good if you'll tell me your game
       D                          E
       Playing solitaire doesn't get me where you would
                G                        D  Dsus4
       And honey you could play the rules that you name
       G      A     Em  G      A      Em
       What's my scene?   What's my scene?
       G      A     Em
       What's my scene?
              G      D
       Tell me what's my scene


       D         E         G
       What's my, What's my, What's my, what's my scene?
       D         E         G
       What's my, What's my, What's my, what's my scene?


       A              G                  D
       They say, they say, making love, you can make it pay
       A              G                 E           D
       They say, they say, But we know there's a  better way ... any day

Gtr Solo D  E  G  D  E  G
```

Vs 3
```
     D                              E
And another thing I've been wondering lately
        G                 D  Dsus4  D
Am I crazy to believe in ideals?
     D                                   E
Well I'm a betting man but it's getting damn lonely
              G                    D  Dsus 4
Oh honey if only I was sure how you feel


G        A      Em  G      A      Em
What's my scene?      What's my scene?
G        A      Em
What's my scene?
        G          D  E  G  D  E  G
Tell me what's my scene


D        E          G
What's my, What's my, What's my, what's my scene?
D        E          G
What's my, What's my, What's my, what's my scene?
(repeat chorus and fade)
```

When The
Weather Is Fine

Words & Music Rai Thistlethwayte
© Copyright Control. International Copyright
Secured. All Rights Reserved. Used by Permission

Vs 1
```
     Db          Db7  Gbmaj7/Db Gbm6/Db      Db
It's been so long,        since I have heard your voice.
           Db7  Gbmaj7/Db  Gb6m/Db         Bb7Sus4
I'd like to talk       but I might not have the choice.
                 Eb7
You turned off your phone.
Abm7        Db9          Gbmaj7
I guess you need some time away.
              Eb9    Ebm7   Absus4  Ab7
I wish you could hear me say
```

```
   Gb          F7         Bbm7  Gbm6/A
I know that some time when the weather is fine
     Ebm9
I will be with you, I'll be with you
  Gb        F7        Bbm7    Eb7/G
No one can see what the future will be
        Gbmaj7      Ab7sus4  Ab7
But I'll feel for you, I'll feel for you
```

```
   Db        Db7/Cb Gbmaj7/Bb        Gbm6/A    Db
I saw your friends        they said that this is not like you.
              Db7/Cb Gbmaj7/Bb   Gb6m/A  F7     Bb7Sus4
One thing I've learnt         even angels   lose their view.
                 Eb7
And now you have gone
Abm7        Db9          Gbmaj7
My days are empty, cold and bleak.
            Eb9sus4  Eb   Ebm7   Absus4  Ab7
To think that we can't    even speak, can't even speak.
```

```
     Gb          F7         Bbm7  Gbm6/A
But I know that some time when the weather is fine
       Ebm9
I will be with you, I'll be with you
  Gb        F7        Bbm7    Eb7/G
No one can see what the future will be
        Gbmaj7    Ab7sus4    Ab7
But I'll feel for you, I feel for you
```

```
Gb     F7         Bbm   Gbm6/A
I'm just trying to make a contribution,
Ebm7
Does that stand for nothing at all.
Gb     F7   Bbm  Gb6/A  Ebm7              Ab7
I want to say I love you,       but I feel like I can't talk.
```

```
Gb          F7         Bbm7  Gbm6/A
But I know that some time when the weather is fine
     Ebm9
I will be with you, I'll be with you
  Gb        F7        Bbm7    Eb7/G
No one can see what the future will be
        Gbmaj7  Ab7sus4  Ab7         Db
But I'll feel for you,          I feel for you
```

Wide Open Road

Intro   G C G Em Am G C G Em Am

Vs 1   G   C/G   G
       Well the drums rolled off in my forehead guns went off in my chest
                Em   Am
       Remember carrying the baby just for you, crying in the wilderness
       G   C /G   G
       I lost track of my friends, I lost my kin, cut them off as limbs
               Em   Am
       I drove out over the flatland, hunting down you and him
       G   C/G   G
       The sky was big and empty, My chest filled to explode
        Em   Am
       I yelled my insides out at the sun at the wide open road
        G   C/G   G Em Am
       It's a wide open road, It's a wide open road

Vs 2   G   C/G   G
       So how do you think it feels, sleeping by yourself?
              Em   Am
       When the one you love, the one you love, is with someone else
        G   C/G   G
       Then it's a wide open road, It's a wide open road
        Em   Am
       And now you can go any place, that you want to go
        G   C/G   G
       I wake up in the morning, thinking I'm still by your side
        Em   Am
       I reach out just to touch you then I realise
         G   C/G   G Em Am
       It's a wide open road, it's a wide open road

       G   C/G   G
       So how do you think it feels, sleeping by yourself?
             Em   Am
       When the one you love, the one you love, is with someone else

       I wake up in the morning, thinking I'm still by your side
        Em   Am
       I reach out just to touch you then I realise
        G   C/G   G
       It's a wide open road, it's a wide open road
        Em   Am
       It's a wide open road, It's a wide open road
        G   C/G   G
       It's a wide open road, it's a wide open road
        Em   Am
       It's a wide open road, It's a wide open road
        G   C/G   G
       It's a wide open road, it's a wide open road
        Em   Am
       and now you can go any place that you want to go

       G C/G G Em Am
       (inst - repeat and fade)

When You Were Mine

Words & Music Stephen Kilbey
© Copyright Sony/ATV Music Publishing. International Copyright
Secured. All Rights Reserved. Used by Permission.

Intro   Am Am/B Am/G Am Am/B Am/G x10

A G/B G A G/B G x 2

Vs 1
```
      A           G/B G      A      G/B G
On a day like this,    a hundred lifetimes ago
A                   G
You on a shore, across the point
  F#                         F        E
I looked through my hands and you drew me a line
                A G/B G            A  G/B  G
When you were mine       When you were mine
                A G/B G            A  G/B  G
When you were mine       When you were mine
```

Vs 2
```
A                G/B G      A           G/B  G
On a world like this,    a hundred turns left to go
A                   G
Deep in a room, which I've never seen
  F#                 F      E
Outside it's so cold but I'm waiting for time
                A G/B G            A  G/B  G
When you were mine       When you were mine
                A G/B G            A  G/B  G
When you were mine       When you were mine
```

Bridge
```
Bbm      Ebm      Bbm        Ab
Plenty of islands between now and then
Bbm           Ebm        Bbm      Ab
Rocks break the boats of the painted face men
        Gb           F
And they drown, and they're born
        Gb         F
And they live once again
Gb         Ab
And this all happens
F
When you were mine
```

A G/B G A G/B G x2

Vs 3
```
A                G/B G      A      G/B G
In a storm like this,    a hundred kisses of snow
A                   G
You with another so easily sleep
        F#                      F      E
What's real and what's dreamt become close and entwine
                A G/B G            A  G/B  G
When you were mine       When you were mine
                A G/B G            A  G/B  G
When you were mine       When you were mine
```

Bridge **Bbm**   **Ebm**   **Bbm**   **Ab**
Plenty of islands between now and then
Bbm   **Ebm**   **Bbm**   **Ab**
Rocks break the boats of the painted face men
        Gb   **F**
And they drown, and they're born
        Gb   **F**
And they live once again
Gb   **Ab**
And this all happens
F
When you were mine

Inst   B A/C# A B A/C# A x2
       A G/B G A G/B G x 8
       F G Bb C
       A G/B G A G/B G x 2
       F G Bb C

Chorus   **A G/B G**   **A G/B G**
When you were mine   When you were mine
                   A G/B G   **A G/B G**
When you were mine   When you were, when you were mine

     F G Bb C A

Where The Wild Roses Grow

Words & Music Nick Cave
© Copyright Mushroom Music Pty. Limited.
International Copyright Secured. All Rights
Reserved. Used by Permission

```
Chorus    Gm              Cm  Gm      Bb            D7
          They call me "The Wild Rose", but my name was Elisa Day
                Gm            Cm  Gm      Gm         F5  Gm
          Why they call me it I do not know, for my name was Elisa Day


Vs 1            Gm                  Bb
          From the first day I saw her I knew she was the one
                Cm                  D7
          As she stared in my eyes and smiled
                Gm                  Bb
          For her lips were the colour of the roses
                Cm                  D
          That grew down the river, all bloody and wild


Vs 2            Gm                  Bb
          When he knocked on my door and entered the room
                Cm                  D7
          My trembling subsided in his sure embrace
                Gm                      Bb
          He would be the first man, and with a careful hand
                Cm                  D
          He wiped the tears that ran down my face


Chorus    Gm              Cm  Gm      Bb            D7
          They call me "The Wild Rose", but my name was Elisa Day
                Gm            Cm  Gm      Gm         F5  Gm
          Why they call me it I do not know, for my name was Elisa Day


Vs 3            Gm                  Bb
          On the second day I brought her a flower
                    Cm                  D7
          She was more beautiful than any woman I'd seen
                Gm                      Bb
          I said, 'Do you know where the wild roses grow
                Cm              D
          So sweet and scarlet and free?'


Vs 4            Gm                  Bb
          On the second day he came with a single rose
                Cm                      D7
          He said 'Give me your loss and your sorrow?'
                Gm                  Bb
          I nodded my head, as I lay on the bed
                Cm                  D
          'If I show you the roses will you follow?'


Chorus    Gm              Cm  Gm      Bb            D7
          They call me "The Wild Rose", but my name was Elisa Day
                Gm            Cm  Gm      Gm         F5  Gm
          Why they call me it I do not know, for my name was Elisa Day
```

Vs 5   Gm   Bb
On the third day he took me to the river
      Cm   D7
He showed me the roses and we kissed
         Gm   Bb
And the last thing I heard was a muttered word
       Cm   D
As he knelt above me with a rock in his fist

Vs 6   Gm   Bb
On the last day I took her where the wild roses grow
      Cm   D7
And she lay on the bank, the wind light as a thief
      Gm   Bb
And I kissed her goodbye, said, 'All beauty must die'
      Cm   D7
And I leant down and planted a rose 'tween her teeth

Chorus   Gm   Cm Gm   Bb   D7
They call me "The Wild Rose", but my name was Elisa Day
         Gm   Cm Gm   Gm   F5 Gm
Why they call me it I do not know, for my name was Elisa Day
             F5   Gm
For my Name was Elisa Day

Who's Gonna Save Us?

Intro   G   D
            Who's gonna save us? Who's gonna save us?

Vs 1   G   D   G   D
            It's all around me and I just don't understand
            Em   C   G
            It seems all out of place now
            Em   Am   Em   Bm   C
            And I know it's late, but you know what they say now

Vs 2   G   D   G   D   Em
            We're under attack now, our work is all cut out
                  C   G
            Whatever happened to your rights?
            Em   Am   Em   Bm   C   D
            And I know it's late, but you know what they say now, what they say now

Chorus   G   D   G   D   Em   C   G
            So where's the writing on the wall? Who's gonna save us?
            Em   Am   Em   Bm
            Who's gonna provide us? Who's gonna divide us?
            C   D
            Who's gonna save us?

Vs 2   G   D   G   D   Em
            We're under powered now, trial devoured now
                      C   G
            Step aside make way for the new leader
            Em   Am   Em   Bm   C   D
            And it's getting late, but you know what they say now, what they say now

Chorus   G   D   G   D   Em   C   G
            So where's the writing on the wall? Who's gonna save us?
            Em   Am   Em   Bm
            Who's gonna provide us? Who's gonna divide us?
            C   Bb
            Who's gonna save us? Who's gonna save us?

Inst   Eb   Bb Eb   Bb Cm Ab   Eb x 2
            G   D   G   D   Em   C   G   Em   Am   Em   Bm   C

Vs 3   G   D   G   D
            It's all around me and I just don't understand
            Em   C   G
            It seems all out of place now
            Em   Am   Em   Bm   C
            And I know it's late, but you know what they say now what they say now
            C
            Who's gonna provide us? who's gonna divide us?
                           N.C.
            Who's gonna provide us? who's gonna divide?

Chorus **G**   **D**   **G**   **D**   **Em**   **C**   **G**
So where's the writing on the wall? Who's gonna save us?
Em   **Am**   **Em**   **Bm**
Who's gonna provide us? Who's gonna divide us?
C   **D**
Who's gonna save us?
G   **D**   **G**   **D**   **Em**   **C**   **G**
Looking for the writing on the wall? Who's gonna save us?
Em   **Am**   **Em**   **Bm**
Who's gonna provide us? Who's gonna divide us?
C   **D**   **G**
Who's gonna save us? Who's gonna save us?

Who Made Who

Words & Music Angus Young,
Malcolm Young & Brian Johnson
© Copyright 1986 J. Albert & Son Pty. Limited. International
Copyright Secured. All Rights Reserved. Used by Permission

Vs 1   D5
The video game she play me
                                                B5
Face it on the level but it take you every time on a one on one
A5
Feel it running down your spine
                                           D5
Nothing gonna save your one last dime cause it own you

Through and through
        Dsus4
The databank know my number
                                        B5
Says I gotta pay cause I made the grade last year
A5
Feel it when I turn the screw
                                           D5
Kick you round the world, there ain't a thing that it can't do, do to you, Yeah!

Chorus D   Dsus4
Who made who, who made you?
        D   Dsus4
Who made who, ain't nobody told you?
        D   Dsus4
Who made who, who made you?
        D   Dsus4
If you made them and they made you
                            A   A7sus4   D/A   A   A7sus4   D/A   A
Who pick up the middle, and who made who?
            D   Dsus4   D
Who made who, who turned the screw?

Solo   B5   A   A7sus4   D/A   A   Gm

Vs 2   D   Dsus4
Someone send me pictures
        D   Dsus4
Get it in the eye, take it to the Y
              B5   A7sus4
Spinning like a dynamo, feel it going round and round
                                    D   Dsus4
Running out of chips, you got no line in a naked town
        D
So don't look down, no!

Chorus **D**   **Dsus4**
Who made who, who made you?
D   **Dsus4**
Who made who, ain't nobody told you?
D   **Dsus4**
Who made who, who made you?
  D   **Dsus4**
If you made them and they made you
                       A A7sus4 D/A A
Who pick up the middle, and who made who?

                     A7sus4 D/A A
Ain't nobody told you, who made who?
          A7sus4 D/A A
Who made you?
D   **Dsus4 D Dsus4 A G D A A (G D A)**
Who made who?   (Repeat and fade)

Woman

Words & Music Andrew Stockdale, Chris Ross and Myles Heskett
© Copyright Universal Music Publishing. International Copyright Secured. All
Rights Reserved. Used by Permission.

Intro   E5 A5 G5 E5 A5 G5

E5
Woman, you know you, woman, you gotta be a woman,
            A5   G5
You've got the feeling of love
E5
When you're talking to me, see right through me,
       A5   G5
I've got the feeling of love

Chorus A5   C5
She's a woman, you know what I mean,
A5   C5
You better listen, listen to me
B5   D5
She's gonna set you free oh oh yeah....

Inst   E5 A5 G5

Vs 2 E5
You've come looking for me, like I've got to set you free
                  A5 G5
You know I can't free nobody,
E5
You've come looking for me, like I've got to set you free,
       A5 G5
I can't be nobody.

Chorus A5   C5
She's a woman, you know what I mean,
  A5   C5
You better listen, listen to me
B5   D5
She's gonna set you free oh oh yeah....

Riff   E D B D B A B A G A, E D B D B A B A G E x4

      E A B D E A B D E A B D E A B E x8 (organ solo after 2x)

      E D B D B A B A G A, A5 G5

      E5 A5 G5

Vs 3 E5
Woman, you know you, woman, you gotta be a woman,
            A5   G5
I got the feeling of love
E5
When you're talking to me, see right through me,
       A5   G5
I've got the feeling alone

Chorus A5   C5
She's a woman, you know what I mean,
A5   C5
You better listen, listen to me
B5   D5
She's gonna set you free oh oh yeah....

You Shook Me All Night Long

Words & Music Angus Young, Malcolm Young & Brian Johnson
© Copyright 1980 J. Albert & Son Pty. Limited. International
Copyright Secured. All Rights Reserved. Used by Permission

Vs 1
```
        G                        C G  C
She was a fast machine, she kept her motor clean
     G    D                 G
She was the best damn woman I had ever seen
        G                 C      G C G
She had the sightless eyes, telling me no lies
  G    D               G    D G
And knockin' me out with those American thighs
          G                  C        G C G
Taking more than her share, had me fighting for air
     D                     G
She told me to come but I was already there
           G              C   G  C   G
'Cause the walls stop shaking, the earth was quaking
D                                   G
My mind was aching, and we were makin it and you -
```

Chorus
```
         C  G/B D  C  G/B
Shook me all night long
        G             C  G/B  D  C  G/B
Yeah you shook me all night long
```

Vs 2
```
        G                   C      G C
Working double time, on the seduction line
     G    D                  G
She was one of a kind, she just mine all mine
        G                C  G C G
Wanted no applause, just another course
        D              G   D        G
Made a meal out of me and come back for more
      G                C    G   C  G
Had to cool me down, to take another round
       D                   G
Now I'm back in the ring to take another swing
          G               C   G  C   G
'Cause the walls were shaking, the earth was quaking
D                                   G
My mind was aching, and we were makin it and you -
```

Chorus
```
         C  G/B D  C  G/B
Shook me all night long
        G             C  G/B  D
Yeah you shook me all night long
```

```
G  C  G  C  G  D  G
G  C  G  C  G  D  G
G  C  G  C  G  D  G
G  C  G  C  G  D
```

Chorus
```
     G               C  G/B  D  C  G/B
You Shook me all night long
        G             C  G/B  D
Yeah you shook me all night long
```

(repeat chorus ad lib)

End
```
     D
Yeah you shook me when you shook me all night long!
```

You Are Not My Friend

Words & Music Alex Feltham, Jason Whalley,
Lindsay MacDougall and Gordon Forman
© Copyright Sony/ATV Music Publishing.
International Copyright Secured. All
Rights Reserved. Used by Permission.

Intro   Bb Bb/F Eb Bb Bb/F Eb

Vs 1   Bb   D7   Eb7
Never felt bad lending a hand, I think you hoped I wouldn't be in a band
Bb   D7   Eb7
Broken ashtray I can always replace, I kick the door then I spit in your face

Chorus Bb   D   Eb
You are not my friend, you are not my friend
Gb   Ab A Bb
Never ever ever   a -gain
Bb   D   Eb
You are not my friend, you are not my friend
Gb   Ab A Bb
Never ever ever   a -gain

Vs 2   Bb   D7
Dream of sunsets with a drink in the sand,
Eb7
Of all my friends and losing money in the van
Bb   D7
Remember holidays that weren't such a waste
     Eb7
And a broken jaw from a punch in the face

Chorus Bb   D   Eb
You are not my friend, you are not my friend
Gb   Ab A Bb
Never ever ever   a -gain
Bb   D   Eb
You are not my friend, you are not my friend
Gb   Ab A Bb
Never ever ever   a -gain

Inst   Bb Bb/F Eb Bb Bb/F Eb
Gm Bb/F Eb Gm Bb/F Eb
Gb Ab A Bb Gb Ab A Bb x2
Bb Bb/F Eb Bb Bb/F Eb

Bb   D7
Picture perfect with a frame that pretends
Eb7
To be a martyr for a cause with no end
Bb   D7
I was thinking that you needed a break
Eb7
What I meant was every bone in your face
Bb   D7
A mental photo of discoloured eyes
Eb7
Of dirty carpets and moistened thighs
Bb   D7
These recollections I will keep to the end
Eb7
I'm sure it's wrong that you were never my friend

Chorus **Bb**   **D**   **Eb**
You are not my friend, you are not my friend
Gb   **Ab A Bb**
Never ever ever   a -gain
Bb   **D**   **Eb**
You are not my friend, you are not my friend
Gb   **Ab A Bb**
Never ever ever   a —gain x2

Inst   **Bb   D   Eb7   Gb   Ab A Bb**
        Bb   D   Eb7   Gb   Ab A Bb

Chorus **Bb**   **D**   **Eb**
You are not my friend, you are not my friend
Gb   **Ab A Bb**
Never ever ever   a -gain
Bb   **D**   **Eb**
You are not my friend, you are not my friend
Gb   **Ab A Bb**
Never ever ever   a —gain

(repeat chorus and fade)

Words & Music John Butler
© Copyright John Butler. International Copyright Secured. All Rights
Reserved. Used by Permission

Zebra

Intro   B5 F#5 D5 B5 x 2

Vs 1
        B5   F#5
I can be loud man, I can be silent
          D5   B5
I could be young man or I could be old
        B5   F#5
I could be a gentleman, or I could be violent
         D5   B5
I could turn hot man or I could be cold
        B5   F#5
I could be just like the calm before the storm boy
         D5   B5
Waitin' for all hell yeah to break loose
        B5   F#5
I could be innocent or I could be guilty
         D5   B5
Doesn't mean that I boy believe in the noose
         B5   F#5   D5   B5
So I sing it and a la da da da da, Da da da da, La da da da, Hell who knows?
 B5   F#5   D5   B5   F#5 D5 B5
                 Da da da da, La da da da, Hell who knows?
 B5   F#5 D5 B5
Hell who knows?

Vs 2
        B5   F#5
I could be rich like a wondering gypsy
         D5   B5
I could be poor like a fat wallet lost
        B5   F#5
I could be the first man or I could come last
         D5   B5
It's not who breaks the ribbon boy it's how you get across
        B5   F#
I could be red, blue, black or white sunset
        D5   B5
As dark as a day boy or brightest at night
        B5   F#5
I could be the sun boy or I could be the moon
         D5   B5
I made it from the stars boy I'm shining so bright

Chorus
           B5   F#5   D5   B5
So I sing it and a la da da da da, Da da da da, La da da da, Hell who knows?
 B5   F#5   D5   B5   F#5 D5 B5
                 Da da da da, La da da da, Hell who knows?
 B5   F#5 D5 B5
Hell who knows?

Solo   B5 F#5 D5 B5 x8
       E
       B5 F#5 D5 B5 x 2

Vs 3

          B5   F#5
I could be asleep boy, or I could be awake
          D5   B5
I could be alive man or a be the walking dead
        B5   F#
I could be ignorant or I could be informed
         D5   B5
I could lead my life man or I could be lead
        B5   F#
I could be anything I put my mind to boy
        D5   B5
all I gotta do is give myself a half a chance
        B5   F#5
I can bring love back into my life
          D5   B5
And share it with the world if I had some balance

Chorus

                    B5   F#5   D5   B5
So I sing it and a la da da da da, Da da da da, La da da da, Hell who knows?
B5   F#5   D5   B5
  Da da da   Da da da da, La da da da, Hell who knows?
B5   F#5   D5   B5
  Da da da   Da da da da, La da da da, Hell who knows?